KB076903

중딩을 위한
안드로이드 스튜디오 코틀린

중딩을 위한 안드로이드 스튜디오 코틀린

발　행 | 2024년 05월 02일
저　자 | 지인산
펴낸이 | 한건희
펴낸곳 | 주식회사 부크크
출판사등록 | 2014.07.15.(제2014-16호)
주　소 | 서울특별시 금천구 가산디지털1로 119 SK트윈타워 A동 305호
전　화 | 1670-8316
이메일 | info@bookk.co.kr

ISBN | 979-11-410-8317-5

www.bookk.co.kr

중딩을 위한
안드로이드 스튜디오
코틀린

지인산 지음

머리말

챕터 0 안드로이드 스튜디오와 친해지기

챕터 1 코딩 이해하기

챕터 2 연산자 이해하기

챕터 3 실전 안드로이드 프로그래밍

챕터 4 계산기 만들기 프로젝트

머리말

앱 개발자가 되고 싶은 분들과,
혹은 호기심에 이 책을 열어보신 분들

제가 맨 처음 컴퓨터를 접하게 된 것은 여느 아이들처럼 게임을 해보고 싶어 사용했던 것이 시작이었습니다. 시간이 지나 나중에 컴퓨터를 전문적으로 사용하는 직업군들을 알고 나서는, 그런 사람들이 되어보고 싶어 코딩을 시작하게 되었습니다.

그러다 아버지께서 어느 날 책을 한 권 사 오셨습니다. 파이썬이라는 컴퓨터 프로그래밍 언어에 관한 내용이었는데, 그때 그 책이 저를 여기까지 이끌어왔습니다.

파이썬으로 코딩이란 문을 열고 안드로이드 스튜디오로 제가 생각한 것을 만들어 보기 시작했습니다. 단순히 작은 계산기를 만들었지만, 이것은 시작일 뿐이라 생각합니다.

이 책에서는 제가 간단한 앱을 만들기 위해 필수적으로 필요하다고 생각하고, 이해한 내용들을 담았습니다. 최대한 쉽고, 재밌고, 간단하게 설명하려 했지만 나이가 중학교 3학년밖에 되지 않아 어휘력이나 표현력이 부족해 그렇지 못하다는 것을 이해해 주길 바랍니다.

부디 이 책을 암기하듯 외우며 보지 말기를 바랍니다. 그것이 코딩의 재미를 떨어뜨릴뿐더러, 정말 하기 싫어지게 만드는 일이니까요.

마지막으로, 이 책을 쓰는 데 힘을 주신 부모님, 그리고 케빈샘과 라일리, 단다께 감사함을 표합니다.

내용 질문 & 자료 다운로드
https://cafe.naver.com/formiddlekotlin

CHAPTER 0

안드로이드 스튜디오와 친해지기

안드로이드 스튜디오란?

우선은 안드로이드 스튜디오는 어떤 것이고, 왜 필요한지를 먼저 알아봅시다. 어떤 프로그램을 만들기 위해서는 그 프로그램을 만들 개발 환경이 필요합니다. 예를 들자면 VS(Visual Studio Code)나, IntelliJ IDEA를 꼽을 수 있죠.

그렇다면 우리는 왜 안드로이드 스튜디오를 사용할까요? 안드로이드 스튜디오는 안드로이드 운영 체제에서 작동하는 앱을 개발할 수 있는 개발 환경입니다. Java(자바)와 함께 코딩할 수도 있습니다.

안드로이드 스튜디오로 앱을 만드는 방법은 3가지가 있습니다. 자바를 사용하거나, 코틀린(Kotlin)을 사용하거나, 혹은 플러터(Flutter)를 사용하여 만들 수 있죠. 하지만 이 책에서는 오로지 코틀린만을 다룹니다. 만약에 조금이라도 코딩을 해봤었던 사람이라면, 이해하는 데에는 그리 어렵지 않을 것입니다.

안드로이드 스튜디오 설치하기

그러면 이제 안드로이드 스튜디오를 뭘 하는 데에 쓰는 것인지 알아보았으니 안드로이드 스튜디오를 설치해 보겠습니다.

웹 브라우저(구글, 네이버, 마이크로소프트 엣지 등등)를 켜 검색창에 android studio download 혹은 안드로이드 스튜디오 다운로드를 검색해 줍니다. 그 후에 설치 페이지를 누르면 아래와 같은 화면이 나옵니다.
(링크:https://developer.android.com/studio?hl=ko)

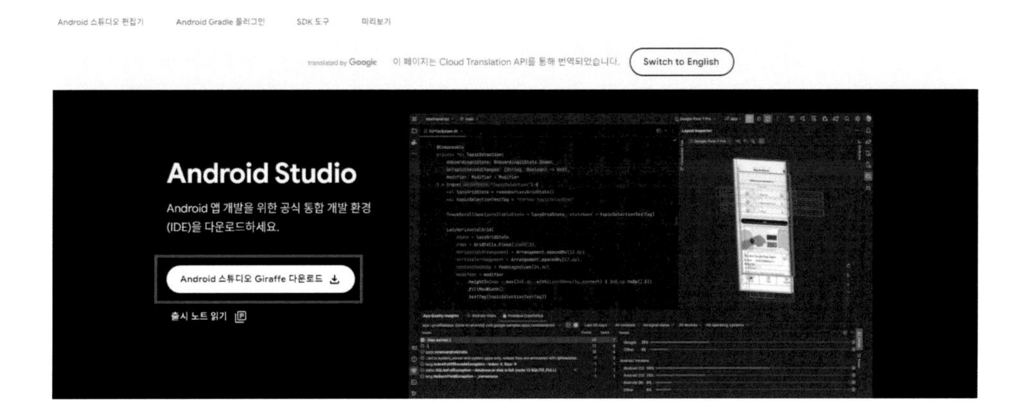

오늘(2023-11-29) 기준으로 최신 버전은 Giraffe(2022.3.1.22) 버전이니 저는 이 버전을 다운로드하도록 하겠습니다.

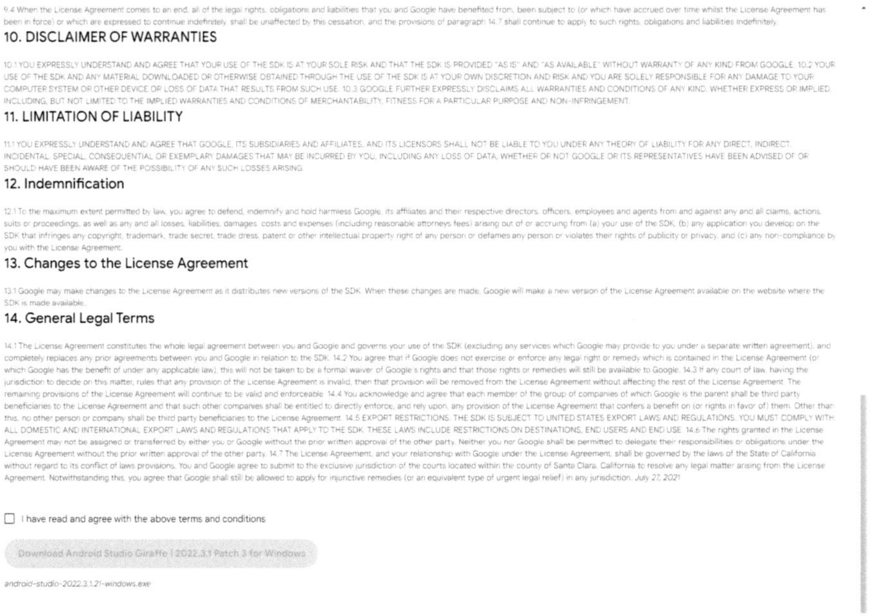

9.4 When the License Agreement comes to an end, all of the legal rights, obligations and liabilities that you and Google have benefited from, been subject to (or which have accrued over time whilst the License Agreement has been in force) or which are expressed to continue indefinitely, shall be unaffected by this cessation, and the provisions of paragraph 14.7 shall continue to apply to such rights, obligations and liabilities indefinitely.

10. DISCLAIMER OF WARRANTIES

10.1 YOU EXPRESSLY UNDERSTAND AND AGREE THAT YOUR USE OF THE SDK IS AT YOUR SOLE RISK AND THAT THE SDK IS PROVIDED "AS IS" AND "AS AVAILABLE" WITHOUT WARRANTY OF ANY KIND FROM GOOGLE. 10.2 YOUR USE OF THE SDK AND ANY MATERIAL DOWNLOADED OR OTHERWISE OBTAINED THROUGH THE USE OF THE SDK IS AT YOUR OWN DISCRETION AND RISK AND YOU ARE SOLELY RESPONSIBLE FOR ANY DAMAGE TO YOUR COMPUTER SYSTEM OR OTHER DEVICE OR LOSS OF DATA THAT RESULTS FROM SUCH USE. 10.3 GOOGLE FURTHER EXPRESSLY DISCLAIMS ALL WARRANTIES AND CONDITIONS OF ANY KIND, WHETHER EXPRESS OR IMPLIED, INCLUDING, BUT NOT LIMITED TO THE IMPLIED WARRANTIES AND CONDITIONS OF MERCHANTABILITY, FITNESS FOR A PARTICULAR PURPOSE AND NON-INFRINGEMENT.

11. LIMITATION OF LIABILITY

11.1 YOU EXPRESSLY UNDERSTAND AND AGREE THAT GOOGLE, ITS SUBSIDIARIES AND AFFILIATES, AND ITS LICENSORS SHALL NOT BE LIABLE TO YOU UNDER ANY THEORY OF LIABILITY FOR ANY DIRECT, INDIRECT, INCIDENTAL, SPECIAL, CONSEQUENTIAL OR EXEMPLARY DAMAGES THAT MAY BE INCURRED BY YOU, INCLUDING ANY LOSS OF DATA, WHETHER OR NOT GOOGLE OR ITS REPRESENTATIVES HAVE BEEN ADVISED OF OR SHOULD HAVE BEEN AWARE OF THE POSSIBILITY OF ANY SUCH LOSSES ARISING.

12. Indemnification

12.1 To the maximum extent permitted by law, you agree to defend, indemnify and hold harmless Google, its affiliates and their respective directors, officers, employees and agents from and against any and all claims, actions, suits or proceedings, as well as any and all losses, liabilities, damages, costs and expenses (including reasonable attorneys fees) arising out of or accruing from (a) your use of the SDK, (b) any application you develop on the SDK that infringes any copyright, trademark, trade secret, trade dress, patent or other intellectual property right of any person or defames any person or violates their rights of publicity or privacy, and (c) any non-compliance by you with the License Agreement.

13. Changes to the License Agreement

13.1 Google may make changes to the License Agreement as it distributes new versions of the SDK. When these changes are made, Google will make a new version of the License Agreement available on the website where the SDK is made available.

14. General Legal Terms

14.1 The License Agreement constitutes the whole legal agreement between you and Google and governs your use of the SDK (excluding any services which Google may provide to you under a separate written agreement), and completely replaces any prior agreements between you and Google in relation to the SDK. 14.2 You agree that if Google does not exercise or enforce any legal right or remedy which is contained in the License Agreement (or which Google has the benefit of under any applicable law), this will not be taken to be a formal waiver of Google's rights and that those rights or remedies will still be available to Google. 14.3 If any court of law, having the jurisdiction to decide on this matter, rules that any provision of the License Agreement is invalid, then that provision will be removed from the License Agreement without affecting the rest of the License Agreement. The remaining provisions of the License Agreement will continue to be valid and enforceable. 14.4 You acknowledge and agree that each member of the group of companies of which Google is the parent shall be third party beneficiaries to the License Agreement and that such other companies shall be entitled to directly enforce, and rely upon, any provision of the License Agreement that confers a benefit on (or rights in favor of) them. Other than this, no other person or company shall be third party beneficiaries to the License Agreement. 14.5 EXPORT RESTRICTIONS. THE SDK IS SUBJECT TO UNITED STATES EXPORT LAWS AND REGULATIONS. YOU MUST COMPLY WITH ALL DOMESTIC AND INTERNATIONAL EXPORT LAWS AND REGULATIONS THAT APPLY TO THE SDK. THESE LAWS INCLUDE RESTRICTIONS ON DESTINATIONS, END USERS AND END USE. 14.6 The rights granted in the License Agreement may not be assigned or transferred by either you or Google without the prior written approval of the other party. Neither you nor Google shall be permitted to delegate their responsibilities or obligations under the License Agreement without the prior written approval of the other party. 14.7 The License Agreement, and your relationship with Google under the License Agreement, shall be governed by the laws of the State of California without regard to its conflict of laws provisions. You and Google agree to submit to the exclusive jurisdiction of the courts located within the county of Santa Clara, California to resolve any legal matter arising from the License Agreement. Notwithstanding this, you agree that Google shall still be allowed to apply for injunctive remedies (or an equivalent type of urgent legal relief) in any jurisdiction. *July 27, 2021*

☐ I have read and agree with the above terms and conditions

Download Android Studio Giraffe | 2022.3.1 Patch 3 for Windows

android-studio-2022.3.1.21-windows.exe

다운로드를 누르면 위와 같은 화면이 나옵니다. 단순히 동의서 개념에 가까운 것이니 체크 박스를 누르면 아래 버튼이 활성화되며 다운로드 할 수 있게 됩니다. 단순히 동의서 개념이니 그냥 동의하고 넘어가면 됩니다.

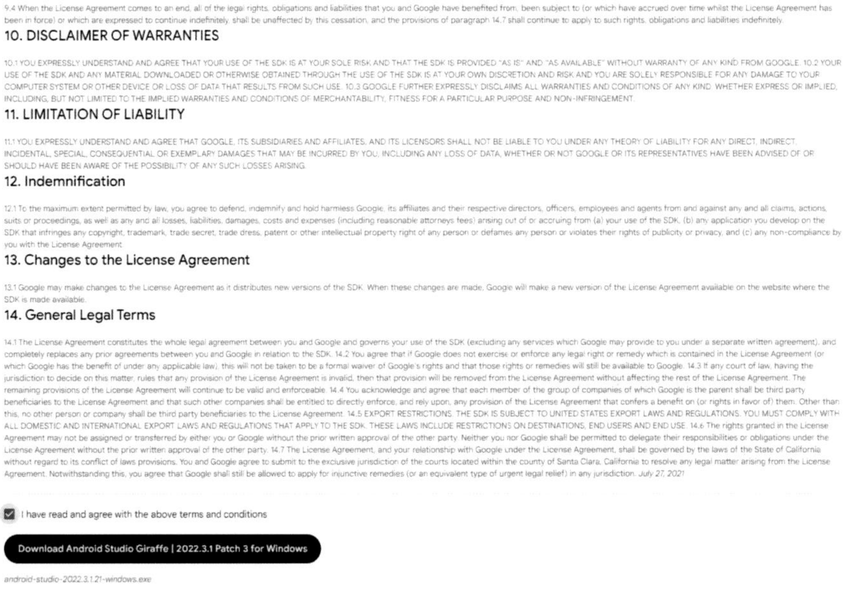

9.4 When the License Agreement comes to an end, all of the legal rights, obligations and liabilities that you and Google have benefited from, been subject to (or which have accrued over time whilst the License Agreement has been in force) or which are expressed to continue indefinitely, shall be unaffected by this cessation, and the provisions of paragraph 14.7 shall continue to apply to such rights, obligations and liabilities indefinitely.

10. DISCLAIMER OF WARRANTIES

10.1 YOU EXPRESSLY UNDERSTAND AND AGREE THAT YOUR USE OF THE SDK IS AT YOUR SOLE RISK AND THAT THE SDK IS PROVIDED "AS IS" AND "AS AVAILABLE" WITHOUT WARRANTY OF ANY KIND FROM GOOGLE. 10.2 YOUR USE OF THE SDK AND ANY MATERIAL DOWNLOADED OR OTHERWISE OBTAINED THROUGH THE USE OF THE SDK IS AT YOUR OWN DISCRETION AND RISK AND YOU ARE SOLELY RESPONSIBLE FOR ANY DAMAGE TO YOUR COMPUTER SYSTEM OR OTHER DEVICE OR LOSS OF DATA THAT RESULTS FROM SUCH USE. 10.3 GOOGLE FURTHER EXPRESSLY DISCLAIMS ALL WARRANTIES AND CONDITIONS OF ANY KIND, WHETHER EXPRESS OR IMPLIED, INCLUDING, BUT NOT LIMITED TO THE IMPLIED WARRANTIES AND CONDITIONS OF MERCHANTABILITY, FITNESS FOR A PARTICULAR PURPOSE AND NON-INFRINGEMENT.

11. LIMITATION OF LIABILITY

11.1 YOU EXPRESSLY UNDERSTAND AND AGREE THAT GOOGLE, ITS SUBSIDIARIES AND AFFILIATES, AND ITS LICENSORS SHALL NOT BE LIABLE TO YOU UNDER ANY THEORY OF LIABILITY FOR ANY DIRECT, INDIRECT, INCIDENTAL, SPECIAL, CONSEQUENTIAL OR EXEMPLARY DAMAGES THAT MAY BE INCURRED BY YOU, INCLUDING ANY LOSS OF DATA, WHETHER OR NOT GOOGLE OR ITS REPRESENTATIVES HAVE BEEN ADVISED OF OR SHOULD HAVE BEEN AWARE OF THE POSSIBILITY OF ANY SUCH LOSSES ARISING.

12. Indemnification

12.1 To the maximum extent permitted by law, you agree to defend, indemnify and hold harmless Google, its affiliates and their respective directors, officers, employees and agents from and against any and all claims, actions, suits or proceedings, as well as any and all losses, liabilities, damages, costs and expenses (including reasonable attorneys fees) arising out of or accruing from (a) your use of the SDK, (b) any application you develop on the SDK that infringes any copyright, trademark, trade secret, trade dress, patent or other intellectual property right of any person or defames any person or violates their rights of publicity or privacy, and (c) any non-compliance by you with the License Agreement.

13. Changes to the License Agreement

13.1 Google may make changes to the License Agreement as it distributes new versions of the SDK. When these changes are made, Google will make a new version of the License Agreement available on the website where the SDK is made available.

14. General Legal Terms

14.1 The License Agreement constitutes the whole legal agreement between you and Google and governs your use of the SDK (excluding any services which Google may provide to you under a separate written agreement), and completely replaces any prior agreements between you and Google in relation to the SDK. 14.2 You agree that if Google does not exercise or enforce any legal right or remedy which is contained in the License Agreement (or which Google has the benefit of under any applicable law), this will not be taken to be a formal waiver of Google's rights and that those rights or remedies will still be available to Google. 14.3 If any court of law, having the jurisdiction to decide on this matter, rules that any provision of the License Agreement is invalid, then that provision will be removed from the License Agreement without affecting the rest of the License Agreement. The remaining provisions of the License Agreement will continue to be valid and enforceable. 14.4 You acknowledge and agree that each member of the group of companies of which Google is the parent shall be third party beneficiaries to the License Agreement and that such other companies shall be entitled to directly enforce, and rely upon, any provision of the License Agreement that confers a benefit on (or rights in favor of) them. Other than this, no other person or company shall be third party beneficiaries to the License Agreement. 14.5 EXPORT RESTRICTIONS. THE SDK IS SUBJECT TO UNITED STATES EXPORT LAWS AND REGULATIONS. YOU MUST COMPLY WITH ALL DOMESTIC AND INTERNATIONAL EXPORT LAWS AND REGULATIONS THAT APPLY TO THE SDK. THESE LAWS INCLUDE RESTRICTIONS ON DESTINATIONS, END USERS AND END USE. 14.6 The rights granted in the License Agreement may not be assigned or transferred by either you or Google without the prior written approval of the other party. Neither you nor Google shall be permitted to delegate their responsibilities or obligations under the License Agreement without the prior written approval of the other party. 14.7 The License Agreement, and your relationship with Google under the License Agreement, shall be governed by the laws of the State of California without regard to its conflict of laws provisions. You and Google agree to submit to the exclusive jurisdiction of the courts located within the county of Santa Clara, California to resolve any legal matter arising from the License Agreement. Notwithstanding this, you agree that Google shall still be allowed to apply for injunctive remedies (or an equivalent type of urgent legal relief) in any jurisdiction. *July 27, 2021*

☑ I have read and agree with the above terms and conditions

Download Android Studio Giraffe | 2022.3.1 Patch 3 for Windows

android-studio-2022.3.1.21-windows.exe

다운이 다 완료되면 위에 나오는 아이콘을 클릭해 열어주세요.

Switch to English

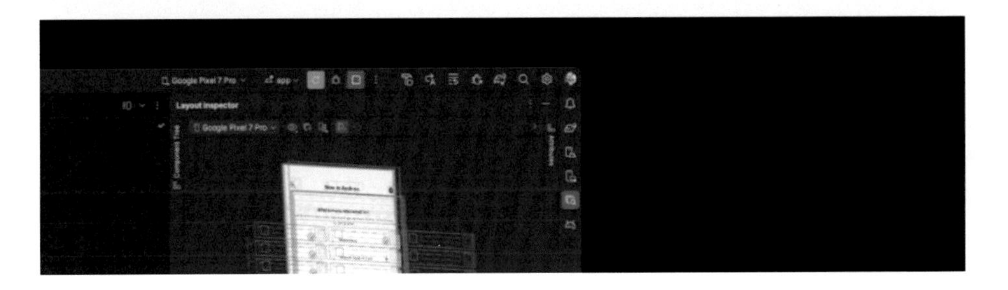

위 아이콘을 클릭하지 못했어도 다운로드 폴더를 찾아 들어가 열어도 괜찮습니다. 안드로이드 스튜디오 다운로드 앱을 실행시켜 줍니다.
*어떤 프로그램을 다운로드하기 위해서는 권한이 필요하므로, 사용자 계정 컨트롤 화면이 나올 수 있습니다. 하지만 예를 누른다고 해서 위협이 되지는 않으니, 예를 클릭해 주세요.
안드로이드 스튜디오를 처음 설치하시는 분들은 다음처럼 나옵니다.

Next 클릭

바꾸는 것 없이 Next 클릭

설치경로를 정해주고 Next 클릭

아무것도 건드리지 말고 Install 클릭

다운로드가 다 될 때까지 기다리다가 Next 클릭

Start Android Studio에 체크해 주고 Finish 클릭

Do not import settings를 누르고 OK 클릭

Don't send 클릭

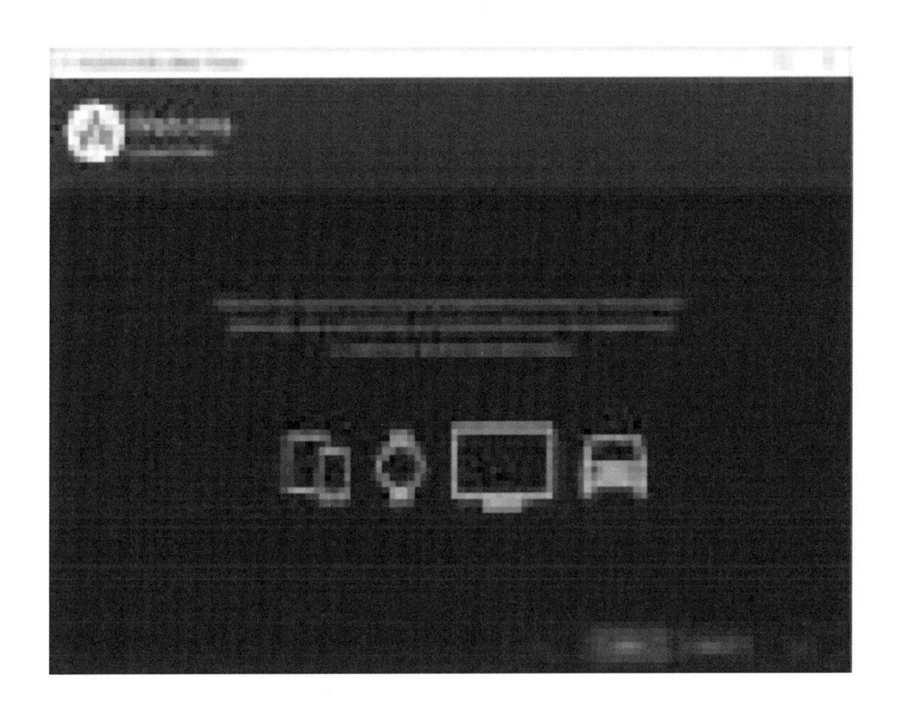

Next 클릭

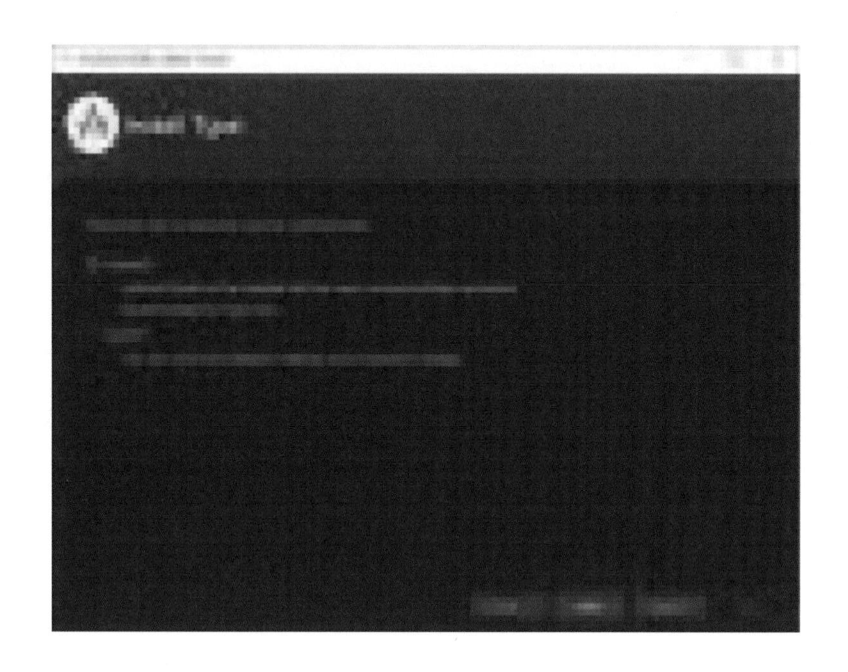

Standard 선택 후 Next 클릭

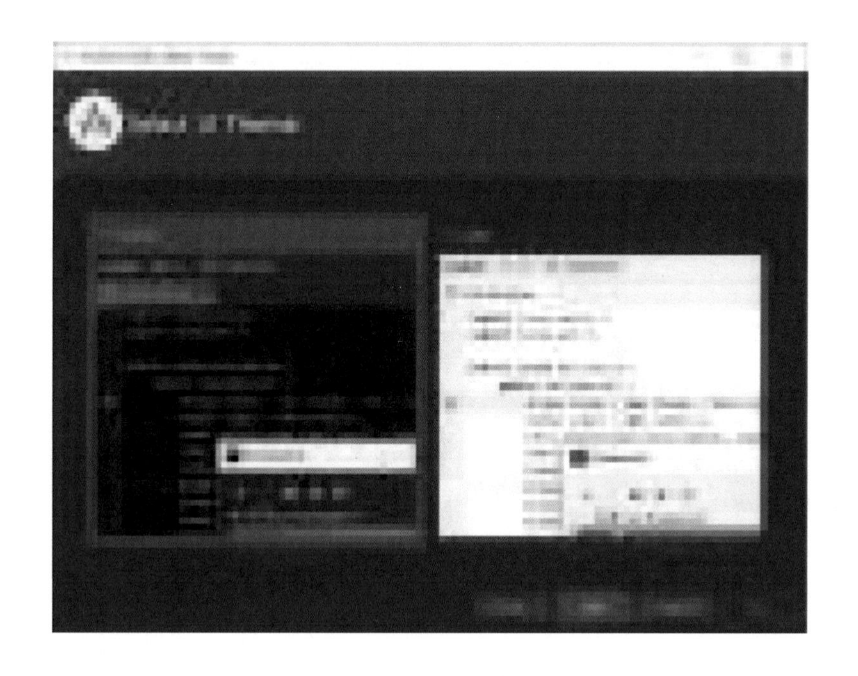

원하는 UI 테마 선택 후 Next 클릭(책에서는 Darcula로 진행)

라이선스마다 Accept를 선택해야 Finish가 활성화됩니다.

Next 클릭

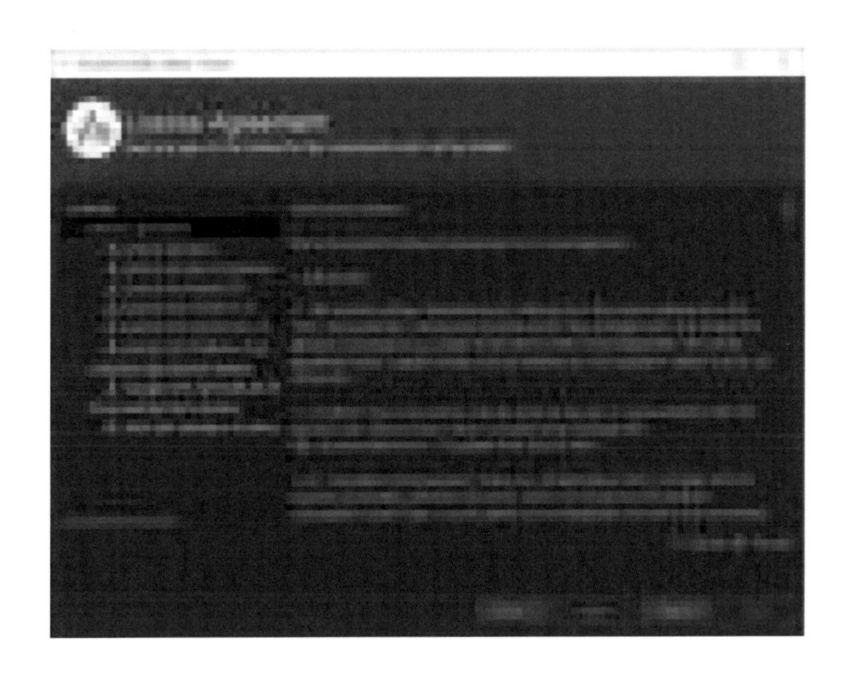

라이선스마다 Accept를 선택해야 Finish가 활성화됩니다.

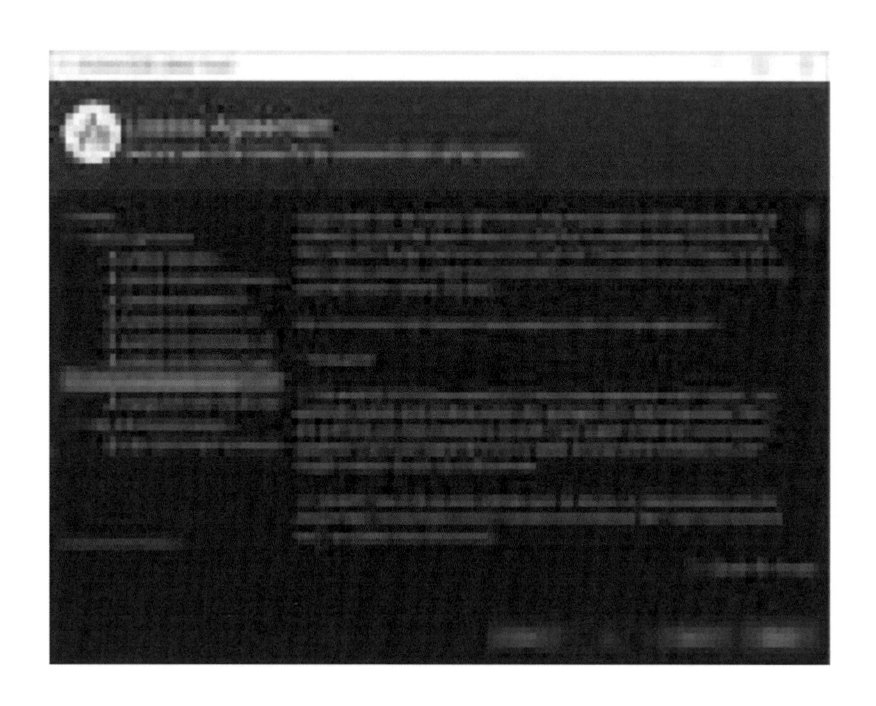

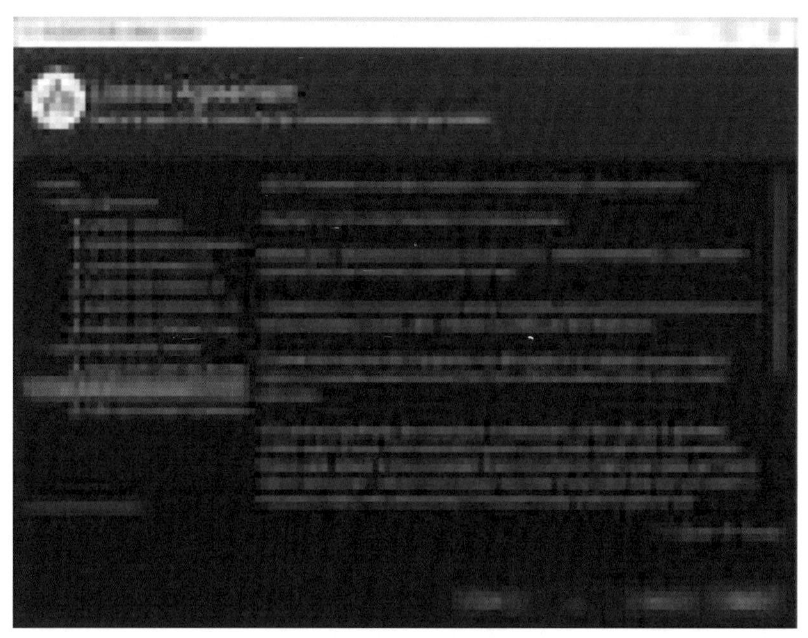

모든 라이선스를 Accept 후 Finish 클릭

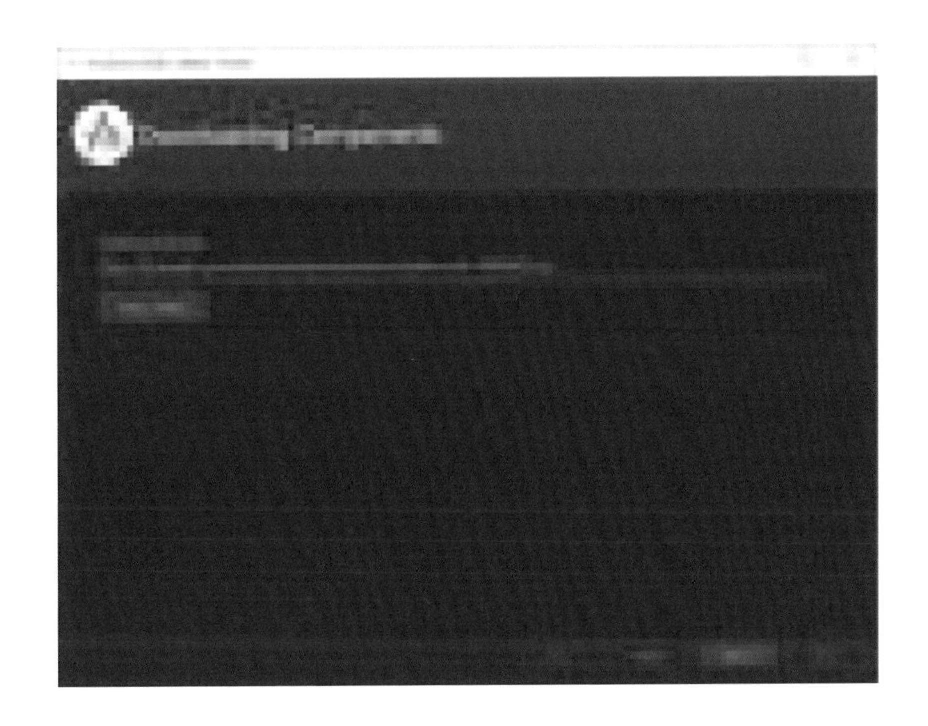

이제 안드로이드 스튜디오가 다운로드 됩니다. 다 될 때까지 시간이 꽤 걸리니 인내심을 가지고 기다려 봅시다.

다 완료하고 나면 이런 창이 뜨게 됩니다. 빨간색 글자는 따로 CPU의 가

상화가 켜져 있지 않아 발생하는 오류입니다. (이 오류에 대해서는 인터넷 검색을 통하여 해결해 주세요!) 오류가 발생하지 않는다면 Finish 클릭.

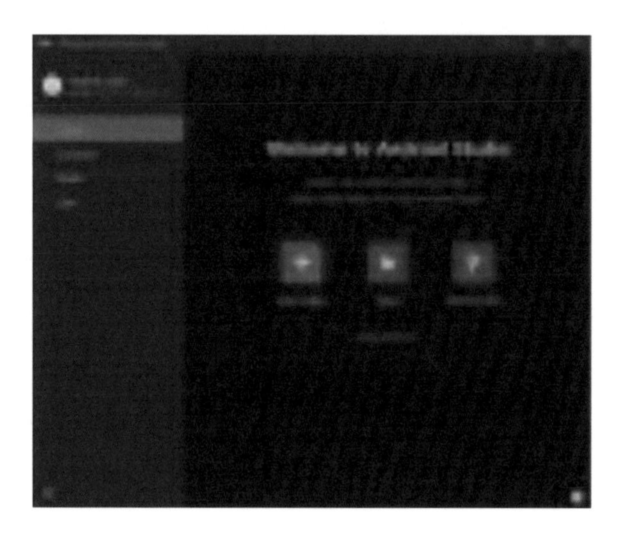

이 화면이 나왔다면 안드로이드 스튜디오가 다 설치 완료된 것입니다. 이번에는 프로젝트 생성을 알아봅시다.

프로젝트 생성

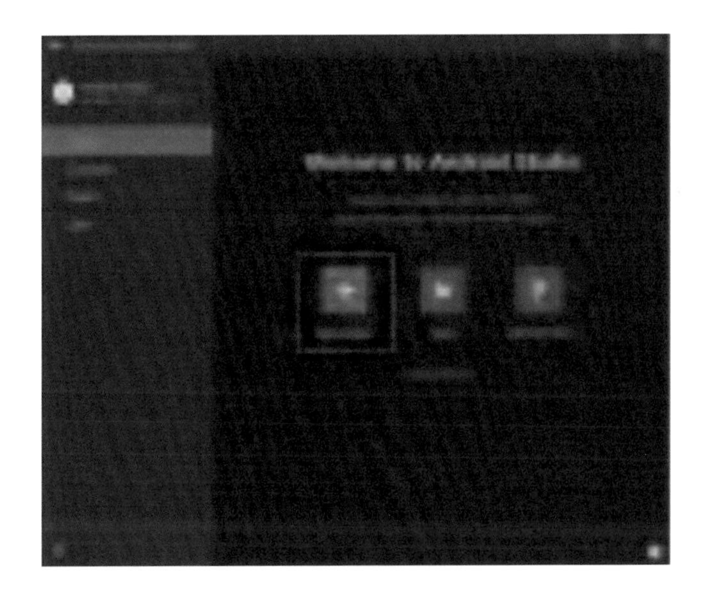

New Project를 클릭하여 프로젝트 생성을 시작해 줍시다.

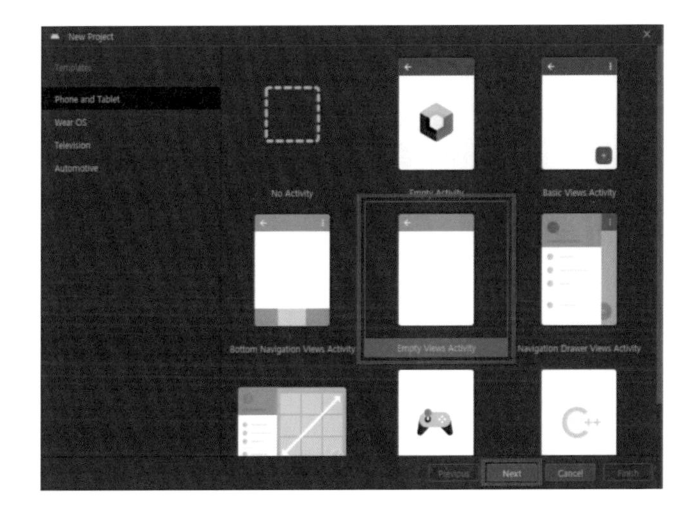

우선은 Activity를 생성해야 합니다. Activity는 간단히 말해서 사용자가 보게 되는 화면을 말합니다. Empty Views Activity를 선택하고 Next를 클릭합니다.

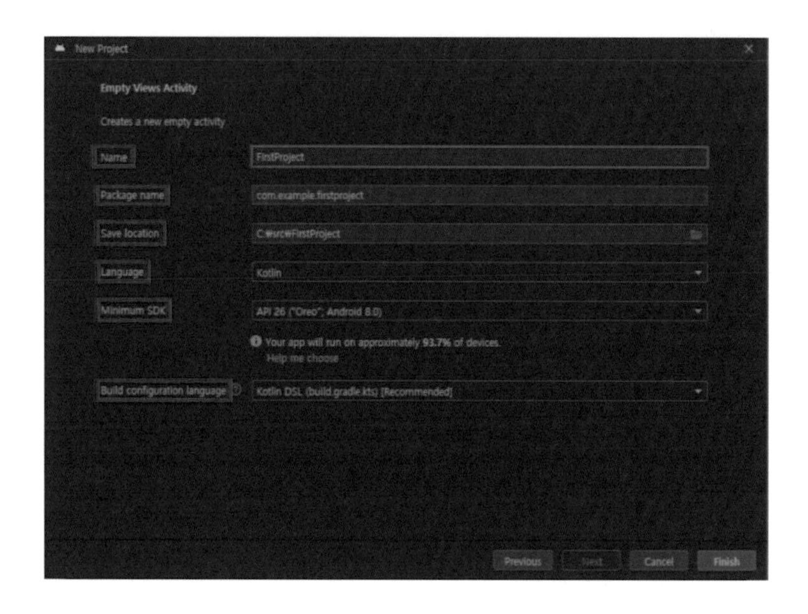

다음 화면으로 넘어오면 프로젝트의 이름, 패키지의 이름, 프로젝트를 저장할 경로를 지정하게 됩니다. Language는 앱을 코딩할 때 사용하기 위한 언어를 선택하는 탭입니다. 여기에서 눈여겨봐야 할 것은 바로 아래에 있는 Minimum SDK인데요. SDK는 개발을 위해 필요한 도구들을 묶어놓은 것입니다.

SDK에서 선택하게 되는 API는 뭘까요? API는 쉽게 말해, 블록 코딩에서 '앞으로 가기'라든지, '오른쪽으로 90도를 회전' 이런 코드들을 한 번에 가지고 있는 도구입니다. API마다 버전이 있는 이유는, 안드로이드 버전마다 사용할 수 있는 버전이 다 다르므로 나누어서 관리하게 됩니다. 따라서 자신이 만들 앱이 어떤 API 수준에서 작동되는 것이 좋을지 생각해봐야 합니다.

이 책에서는 API를 26으로 설정해 두고 진행하겠습니다. 그리고 맨 아래에 있는 Build configuration language는 안드로이드 스튜디오로 코딩할 때 사용하기 위한 언어를 설정하는 것입니다. 이 책에서는 추천되는 Kotlin DSL을 사용하겠습니다. 프로젝트의 이름과 패키지의 이름, 프로젝트를 저장할 경로를 원하시는 것으로 지정하고 Finish를 클릭합니다. Finish를 누르면 프로젝트가 생성되기 시작하고, 다 생성되었다면 다음과 같이 나오게 됩니다.

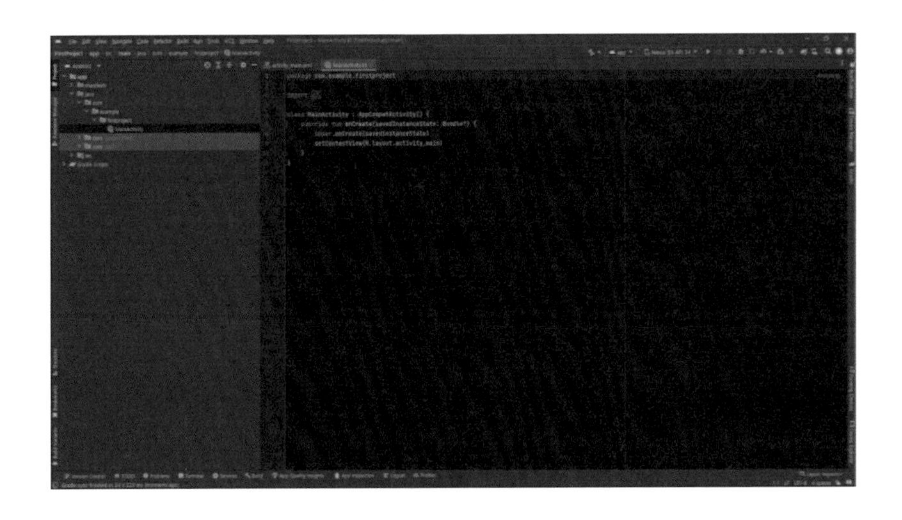

프로젝트 생성이 끝났으니, 다음에는 가상 머신을 구축해 보겠습니다.

가상 머신 구축

우선 가상 머신이란 무엇인지 알아보겠습니다. 가상 머신은 컴퓨터 안에 다른 장치를 만들어 내 보여주는 기술입니다. 안드로이드 스튜디오에서는 안드로이드 장치를 보여주는 것이죠.

이 가상 머신만 있다면, 여러분의 핸드폰에 일일이 다운로드를 하며 변화시킨 부분을 찾지 않아도 된다는 장점이 있습니다. 그러면 본격적으로 가상 머신을 만들어 보겠습니다.

빨간색으로 표시해 둔 아이콘을 누른 후
에 Create Device를 눌러 새로운 가상 머신을 만들 준비를 해봅시다.

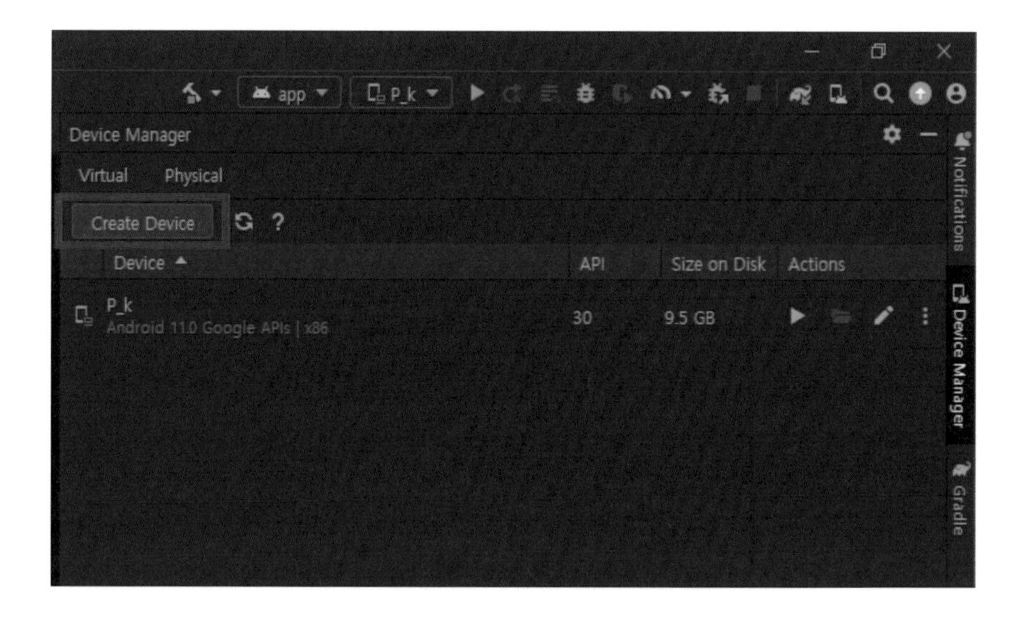

Create Device를 누르면 다음과 같은 화면이 나오게 되는데, 이는 가상 머신에서 사용할 휴대폰의 화면 크기를 정하는 것 정도입니다. 이 책에서는 Nexus 5X로 진행하겠습니다.

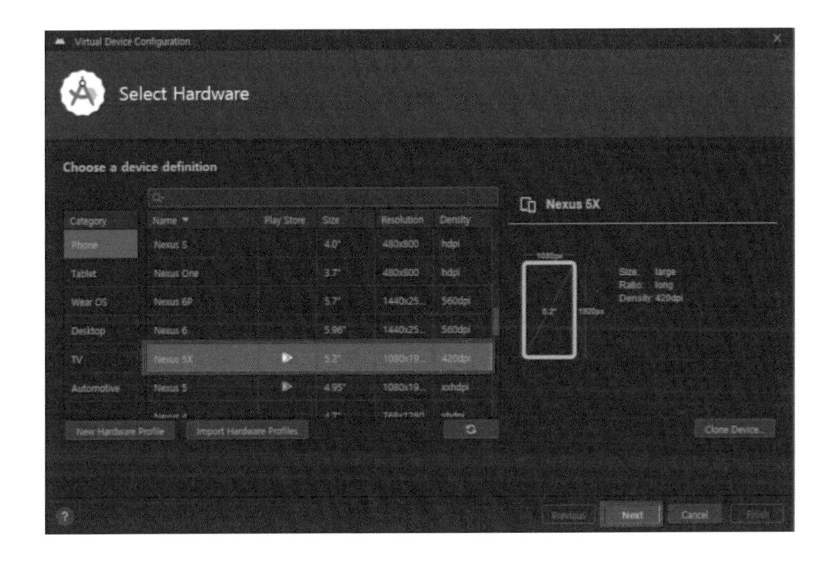

선택했다면 Next를 클릭해 줍니다. 다음으로는 가상 머신에서 사용할 API 레벨을 선택해 줄 겁니다. 저희는 Recommended 탭에 있는 Oreo(API 27)를 사용해 주겠습니다. 다 되었다면 Next를 누릅니다.

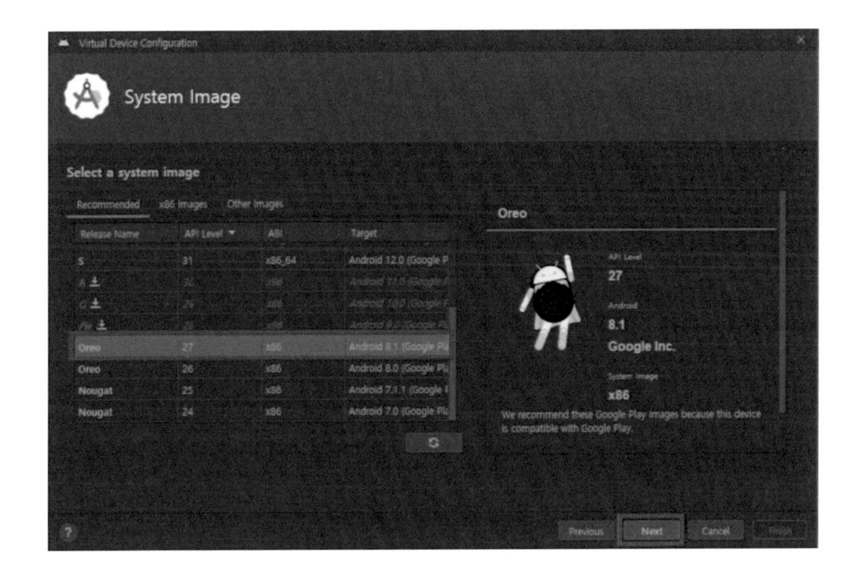

마지막으로 본인이 설정한 환경이 맞는지 확인하는 화면이 나옵니다. 확인해 보고 맞다면 Finish를 눌러 생성을 마무리해 줍니다.

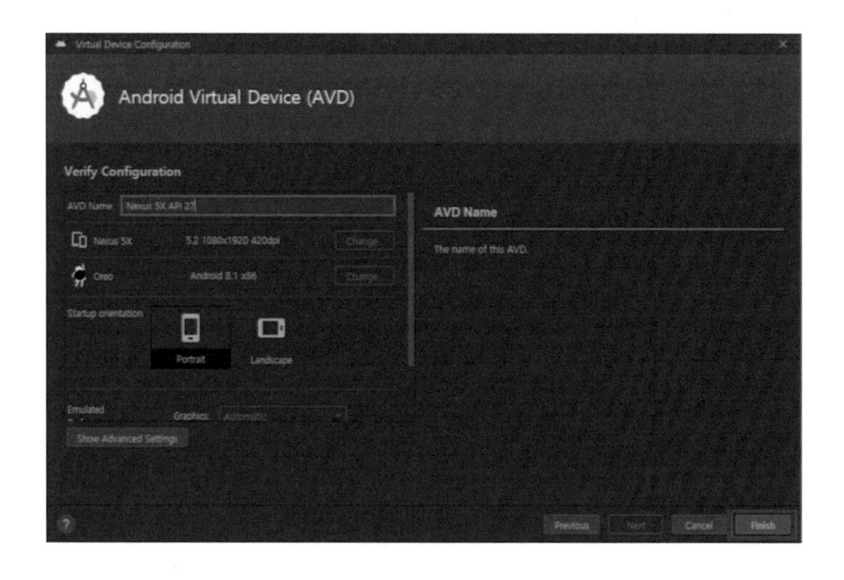

Finish를 누르면 다음과 같이 가상 머신이 생성됩니다.

여러분은 이제 안드로이드 스튜디오로 앱을 만들 준비를 끝냈습니다. 앞으로는 직접 코딩하면서 가상 머신으로 앱이 어떻게 동작할지 지켜봅시다.

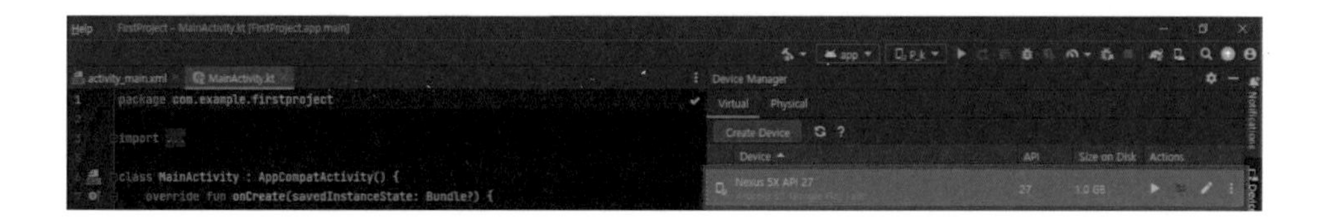

CHAPTER 1

코딩
이해하기

챕터 1-1. 코딩이란?

코딩을 시작하기 전에, 코딩은 무엇을 하는 것인지 간단히 살펴봅시다. 코딩을 간단히 설명하자면, 컴퓨터에 자신이 하고 싶은 행동을 전달하는 일입니다.

이 코딩을 하는 이유는 프로그램을 만들기 위해서겠죠? 이렇게 프로그램을 만드는 행위를 프로그래밍이라 합니다. 코딩을 끝마치면 자신이 컴퓨터에 전달한 일들을 컴퓨터는 무척 빠르게 실행하지요. 하지만 코딩은 인간들이 쓰는 언어로는 할 수 없습니다.

'엥? 코딩은 영어를 사용하잖아요!'

네, 영어를 사용하는 것 같죠? 그러나 실제로는 컴퓨터는 우리들이 사용하는 영어를 알아듣지 못해요. 이상하죠? 사실 우리가 코딩하면서 쓰게 되는 언어는 컴퓨터가 이해할 수 있게 바꾸어야만 합니다. 이 과정을 '컴파일' 또는 '빌드'라고 합니다. 그리고 코딩할 때 사용하는 언어를 '프로그래밍 언어'라고 하지요. 코딩을 배워보고 싶어 했던 분 중에는 파이썬, C, C++ 등 여러 가지 언어들의 이름을 들어본 적도 있을 겁니다.

각각의 언어들은 생긴 것이 전부 다 다르게 생겼고, 따로 하는 역할이 다를 수 있습니다.

챕터 1-2. 코틀린이란?

저희가 안드로이드 스튜디오를 설치할 때 어떤 언어를 선택했는지 기억이 나시나요? 네, 저희는 코틀린 언어를 선택했습니다. 그렇다면 코틀린은 어떤 장점이 있을까요?

코틀린의 가장 큰 장점은 다른 언어인 Java(자바)와 호환이 잘 된다는 것인데요. 이 말은 Java에 있는 기능들을 코틀린에서도 사용할 수 있다는 것입니다.

반대로 Java에서 코틀린 언어를 사용할 수 있죠. 또한 Java보다 코틀린 언어는 문법이 더 간단합니다. 필자도 맨 처음에 코틀린을 공부할 때 정말로 Java보다 더 쉽구나! 라고 생각했습니다.

다른 장점이 있지만 저희는 이 'Java보다 문법이 더 쉽다.'라는 장점 하나만 해도 매우 큰 이득이 생깁니다. 그러면 지금부터 안드로이드 스튜디오를 사용해 코틀린을 어떻게 사용하는지 알아볼까요?

챕터 1-3. 액티비티 생성

우선은 가상 머신을 한번 작동시켜 볼까요? 작동을 시키는 방법은 간단합니다. 다음 사진처럼 빨간색 상자로 표시해 둔 아이콘을 클릭하세요.

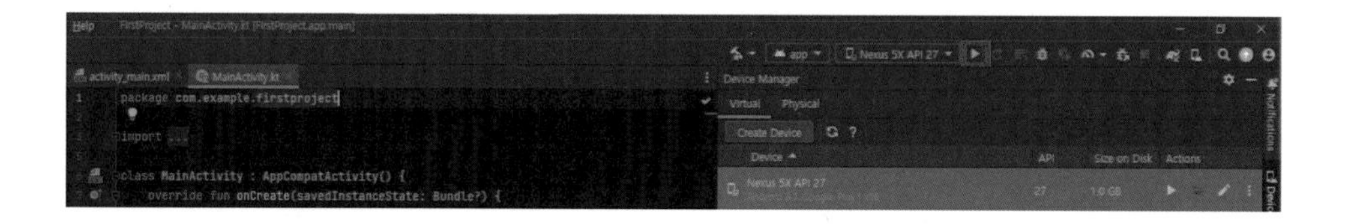

아이콘을 누르고 잠시 기다리면 다음 그림처럼 Hello Android!가 나오는 화면이 가상 머신에 나타납니다.

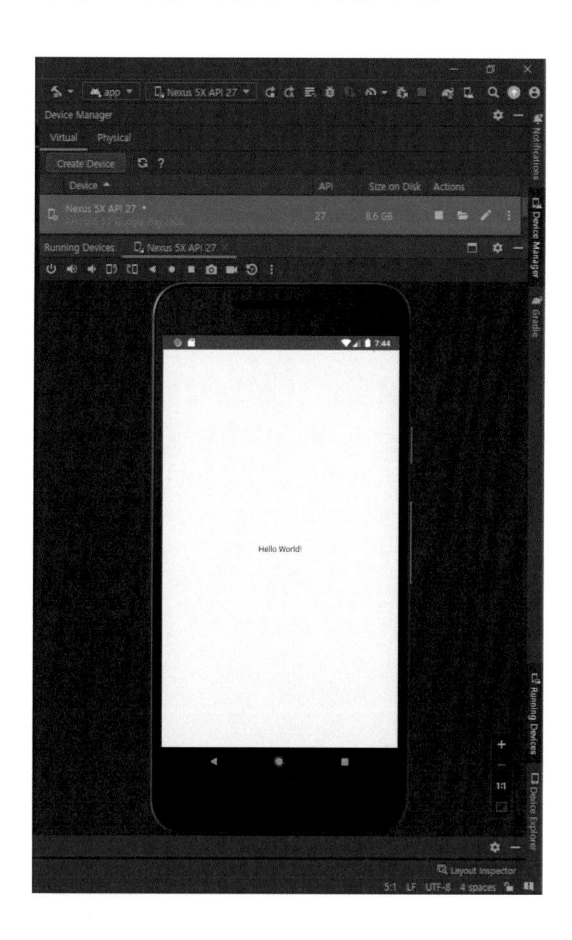

만약에 가상 머신이 켜지지 않고 다음 사진처럼 빨간색 글자들이 뜬다면

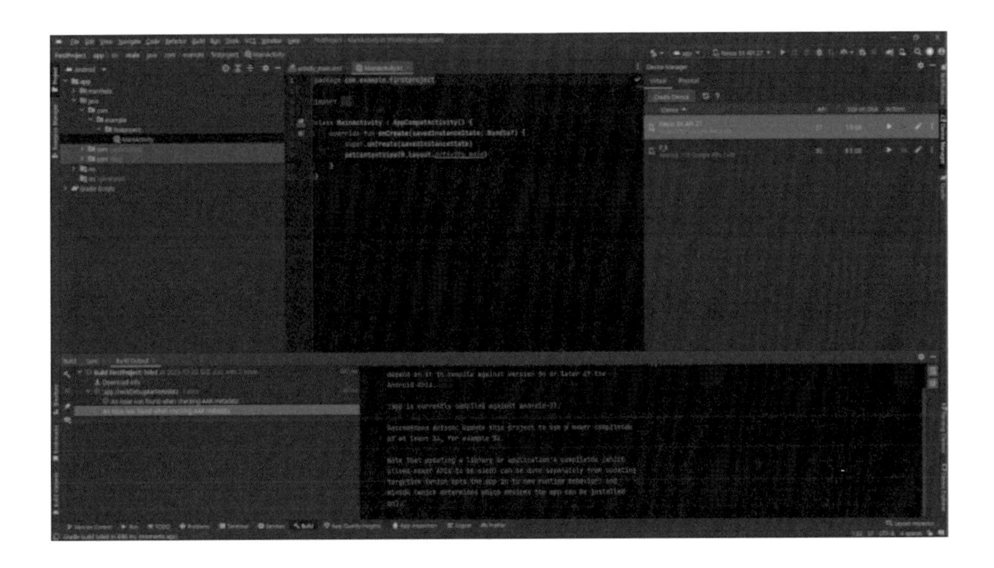

왼쪽에 있는 작업 표시줄에서 Gradle Scripts를 확장한 다음 build.gradle.kts (Module :app)를 열어주고 그림처럼 compileSdk가 33이라면 33을 34로 수정시키고 작동시켜 보세요.

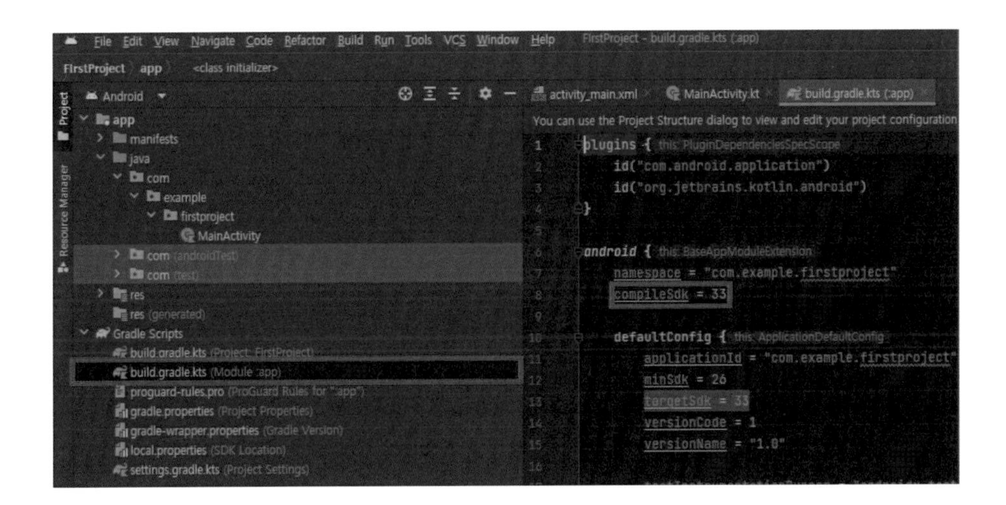

```
plugins {
    id("com.android.application")
    id("org.jetbrains.kotlin.android")
}

android {
    namespace = "com.example.firstproject"
    compileSdk = 34

    defaultConfig {
        applicationId = "com.example.firstproject"
        minSdk = 26
        targetSdk = 33
        versionCode = 1
        versionName = "1.0"

        testInstrumentationRunner = "androidx.test.runner.AndroidJUnitRunner"
    }

    buildTypes {
        release {
            isMinifyEnabled = false
            proguardFiles(
                getDefaultProguardFile("proguard-android-optimize.txt"),
```

수정된 내용을 적용하려면 Sync Now를 누르시면 됩니다. 가상 머신이 잘 작동되는 것을 확인했으니 액티비티를 생성해 봅시다. Java 폴더를 선택하고 우클릭을 눌러 New>Activity>Empty Views Activity를 선택합니다.

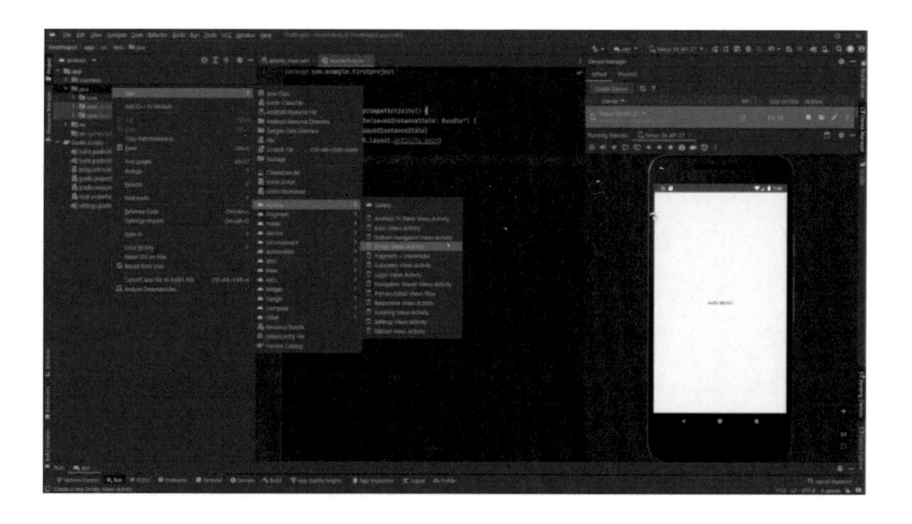

그러면 다음 그림과 같이 정보를 수정해 줍니다. 각 정보의 내용은 다음과 같습니다.

Activity Name:액티비티의 이름
Layout Name:레이아웃 파일(xml)의 이름
Package name:패키지의 이름
Source Language:액티비티에 쓰일 언어 선택

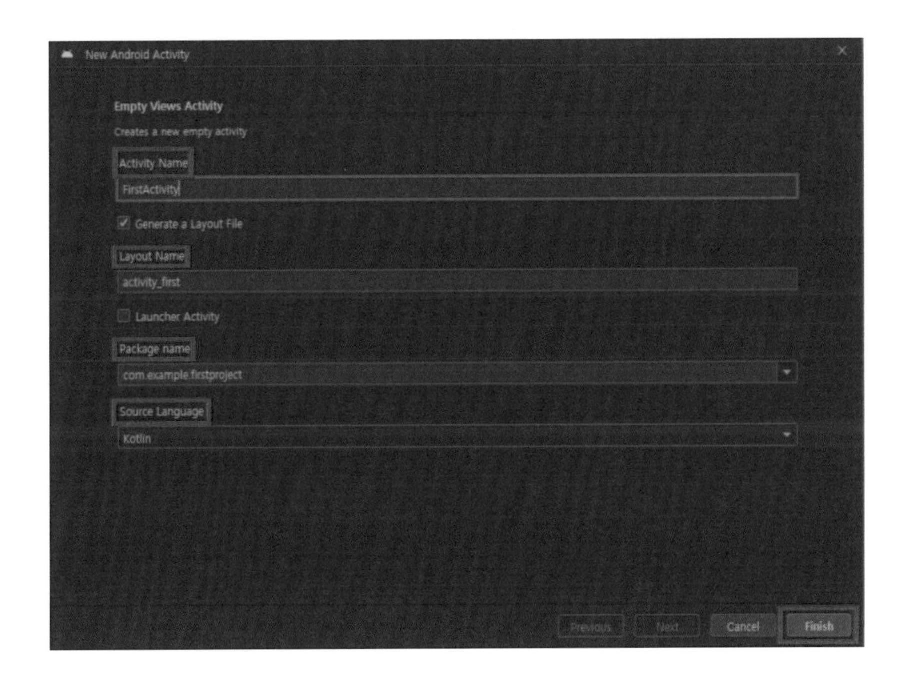

정보를 다 수정했다면 Finish를 클릭합니다.

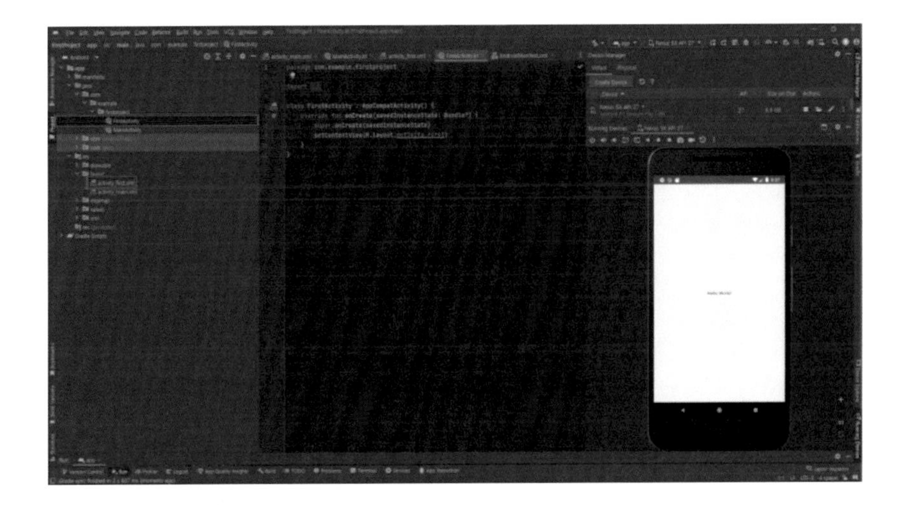

액티비티가 전부 다 생성되면 FirstActivity 파일과 activity_first.xml 파일이 생성됩니다. 이쯤에서 액티비티가 무엇인지 알아봅시다.

액티비티는 사용자가 볼 수 있는 화면이 보이게 하는 기능을 합니다. 예를 들면, 버튼, 글자, 숫자, 슬라이드 화면 등을 이야기하는 것이죠. 액티비티를 구성하는 파일은 크게 두 가지로 나누어집니다.

xml 파일은 실제로 사용자가 볼 수 있는 화면을 구성하는 파일이고, 뒤에 아무것도 안 붙어있는 것처럼 보이는 FirstActivity 파일은 사실 코틀린(.kt) 파일입니다.

이 .kt파일은 버튼 등을 눌렀을 때 처리되는 명령을 처리하는 파일입니다. 조금 더 쉽게 말해보자면, 블록 코딩을 할 때 '오브젝트를 클릭했을 때' -> '안녕! 말하기'와 같이 코드를 짜는 행위를 처리하는 파일일 것이죠.

이제 새로운 액티비티를 만들었으니 다음 장에서는 이 액티비티를 직접 만들고, 사용해 보겠습니다.

챕터 1-4. 변수 선언

이번 장에서는 kt 파일로 할 수 있는 것 중에서 가장 간단한 것을 알아보겠습니다. 가장 기본이 되며 안 쓸 수가 없는 '변수'입니다.

변수란 무엇일까요?
중학교 수학을 공부한 사람이라면 쉽게 이해할 수 있습니다. 중학교 수학이라고 겁을 먹는 친구가 있을 수 있는데, 너무 어려운 것은 없으니 걱정하지 마세요. 심지어는 알고 있을 수도 있어요.

변수는 정해진 값이 아니라, 그때그때 변할 수 있는 값을 이야기합니다. 어렵나요? 그러면 다음 그림을 볼까요?

$$5-\square=2$$

이 식에서 □의 값은 얼마죠?
네, 3이죠. 그렇다면 다른 그림을 볼까요?

$$5+\square=10$$

이 식에서 □의 값은 얼마일까요?
네, 5입니다. 왜일까요? 같은 □이니 3 아닌가요? 아니죠? 이렇게 같은 기호임에도 불구하고 값이 다릅니다.

이것이 변수입니다. 여러분은 인식하지 못했지만, 초등학교에 다니면서 수학을 배울 때 여러분도 모르는 사이에 변수라는 걸 배우고 있던 거죠. 어렵지 않죠?

변수는 □뿐만 아니라 x, y와 같이 특정 알파벳으로 표현할 수 있어요. 첫 번째 그림으로 치자면 5-x=2 이렇게 표현할 수 있다는 것이죠. 그렇다면 x는 □와 같으니까, x의 값은 3이 되겠군요.
좋아요. 이제 변수에 대한 설명은 충분히 한 것 같으니 한번 변수를 선언하러 가볼까요?

안드로이드 스튜디오로 돌아가서 MainActivity.kt 파일을 열고 아래 사진처럼 똑같이 입력해 봐요!

예제

```
package com.example.firstproject

import androidx.appcompat.app.AppCompatActivity
import android.os.Bundle

class MainActivity : AppCompatActivity() {

    override fun onCreate(savedInstanceState: Bundle?) {
        super.onCreate(savedInstanceState)
        setContentView(R.layout.activity_main)

        val a = 5
    }
}
```

val a = 5

코드의 앞이 비어있는 이유는 간단합니다. 가독성 때문이죠. 이 짧은 한 줄에 어떤 의미가 있는지 살펴볼까요?

val은 변수를 선언한다는 의미가 있어요. 코딩은 컴퓨터에 명령을 주는 것이라고 앞에서 설명했었죠? val은 컴퓨터가 변수를 선언하라는 명령을 내려주는 단어인 것이죠.

이처럼 컴퓨터에 명령을 내려주는 특별한 단어를 코딩에서는 '키워드'라고 부릅니다. 키워드가 val인 것을 억지로 외우려 할 필요는 없어요. 많이 쓰다 보면 저절로 손이 움직일 거니까요.

val을 알아보았으니, 다음에 있는 a = 5를 알아볼까요? 우선 a는 이 변수의 이름입니다. 이름이 필요한 이유는 간단해요. 여러분과 저도 이름이 있듯이 변수에도 불릴 이름이 필요합니다.

친구들끼리 모여있을 때, 한 친구가 뒤에서 '야!'라고 불렀을 때, 친구들이 한꺼번에 뒤를 돌아보거나 '나?'하고 물어본 경험이 있나요? 이렇게 누군가를 부르려면 이름이 꼭 필요합니다. 그래서 변수에도 이름이 필요한 거죠.

마지막으로 = 5는 a라는 이름의 변수에 5를 넣으라는 것입니다. 따라서 이를 종합해 이해해 보자면 다음과 같습니다.

'a라는 이름의 변수의 값은 5이다.' 어렵지 않죠?

그런데 변수를 선언할 수 있는 키워드가 하나 더 있습니다. 바로 var이라는 키워드인데요. val과 var의 차이는 간단합니다. val은 불변 (변할 수 없는 변수)이고 var는 가변 (변할 수 있는 변수)입니다.

이게 무슨 말이냐, val에 변수 a를 5로 선언했다면, 변수 a의 값인 5를 다른 값으로 바꿀 수 없다는 의미입니다. 그렇다면 var에 변수 b를 7로 선언한 후에, 변수 'b는 9이다.'라는 코드를 넣어주게 된다면, 변수 b의 값은 7에서 9로 변하게 됩니다.
다시 본론으로 돌아와서, 이 a가 제대로 5로 선언이 되었는지 볼까요? 제대로 변수가 선언되었는지 확인하려면 코드 한 줄이 더 필요합니다.

```
println(a)
```

이건 뭘까요? 우선 println이 키워드가 됩니다. 이 코드가 하는 동작은 'a라는 이름을 가진 변수의 값을 출력하라.'라는 뜻입니다. 그렇다면 뒤에 괄호()는 왜 붙었을까요?

이 괄호가 있어야 컴퓨터가 이해할 수 있기 때문입니다. 앞에서 말했듯이 컴퓨터는 사람과 이해하는 방식이 다르죠? 그래서 그렇습니다. 그러면 이제 a가 출력되었을 때 5가 나오는지 보겠습니다.

빨간색 상자 안에 있는 초록색 버튼을 눌러봅시다. 앞 장에서 가상 머신을 작동시키는 버튼이라고 공부했었죠? 그런데, 초록색 버튼을 누르게 되면 나오는 화면에는 Hello World!라고만 나오고 우리가 정한 숫자 5는 어디에서도 보이지 않습니다.

왜냐하면 우리는 변수를 말로만 정하고 출력하라고 했을 뿐이지, 화면에 내보내라고 직접 말하지는 않았기 때문입니다. 이처럼 컴퓨터는 꽤 세세하게 명령을 내려주어야 합니다. 앞으로 코딩하다 보면 '이런 것까지도 내가 해줘야 해?'라는 말이 나올 수도 있지요. 그렇다면 우리가 출력하라고 했던 5는 어디에 출력이 되었을까요?

println으로 출력된 내용들은 안드로이드 스튜디오에서 실행하는 내용들을 볼 수 있는 Logcat 이라는 곳에서 확인할 수 있습니다.

이 Logcat을 누르고 위로 쭉 올리다 보면

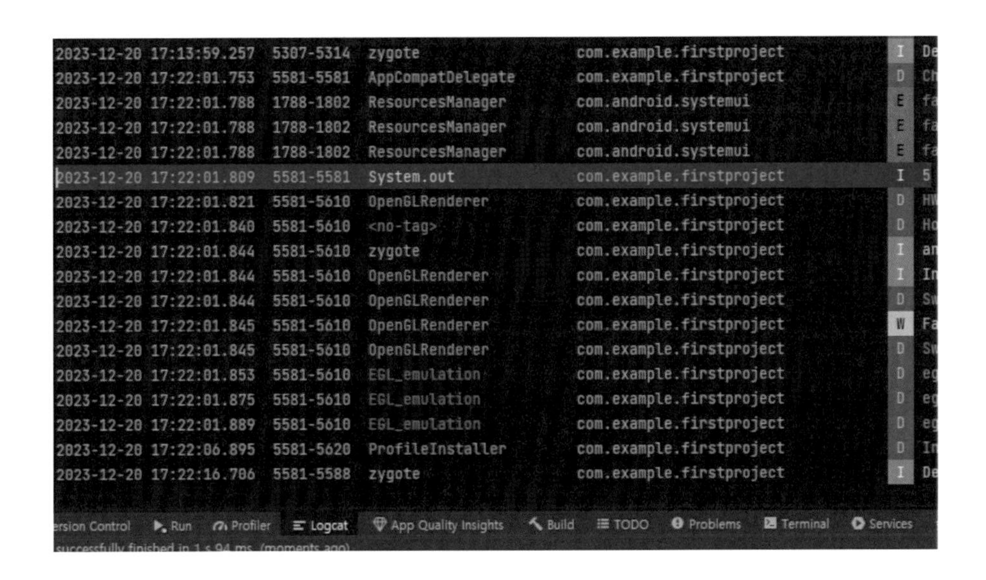

정상적으로 5가 출력이 된 것을 확인할 수 있습니다. 그렇다면 이 변수들을 이용해서 무언가 할 것이 없을까요? 간단한 사칙연산부터 시켜봅시다. 요즘에 만들어지는 대부분의 프로그래밍 언어들은 일반적으로 덧셈, 뺄셈, 곱셈, 나눗셈을 할 수 있습니다.

한번 컴퓨터에게 시켜볼까요? 저는 5 + 2 * 4를 계산하게 해볼게요. 여러분들도 계산시켜 보고 싶은 값을 넣어서 실험해 보세요.
코드를 수정한 다음에 테스트를 하고 싶다면, 빨간색 중지 버튼을 누르고 다시 시작해 줍시다.

9로 정답이 잘 출력됩니다. (사칙연산의 기본! 혼합 계산을 할 때는 곱셈이나 나눗셈이 섞여 있는 경우에는 곱셈이나 나눗셈 먼저 계산합니다) 그러면 숫자를 출력시켜 봤으니, 이번에는 문자를 출력시켜 볼까요?

어떻게 변수를 문자로 선언할 수 있을까요? 그냥 숫자를 넣었던 것처럼 그대로 글자를 쓰면 될까요? 그러면 빨간색으로 줄이 그어지면서 오류가 발생합니다.

문자를 출력시키는 방법은 <val(혹은 var) 변수 이름 = “문자”> 꼴로 생성하면 됩니다.
즉, 큰따옴표 안에 넣고 싶은 문자를 넣어주면 됩니다.

이번에 저는 안녕하세요!를 변수에 입력하고 변수의 이름은 b로 지정했습니다. 참고로 변수의 이름은 똑같이 지정할 수 없습니다. 컴퓨터는 무엇이 다른 것인지 구분하지 못하기 때문입니다.

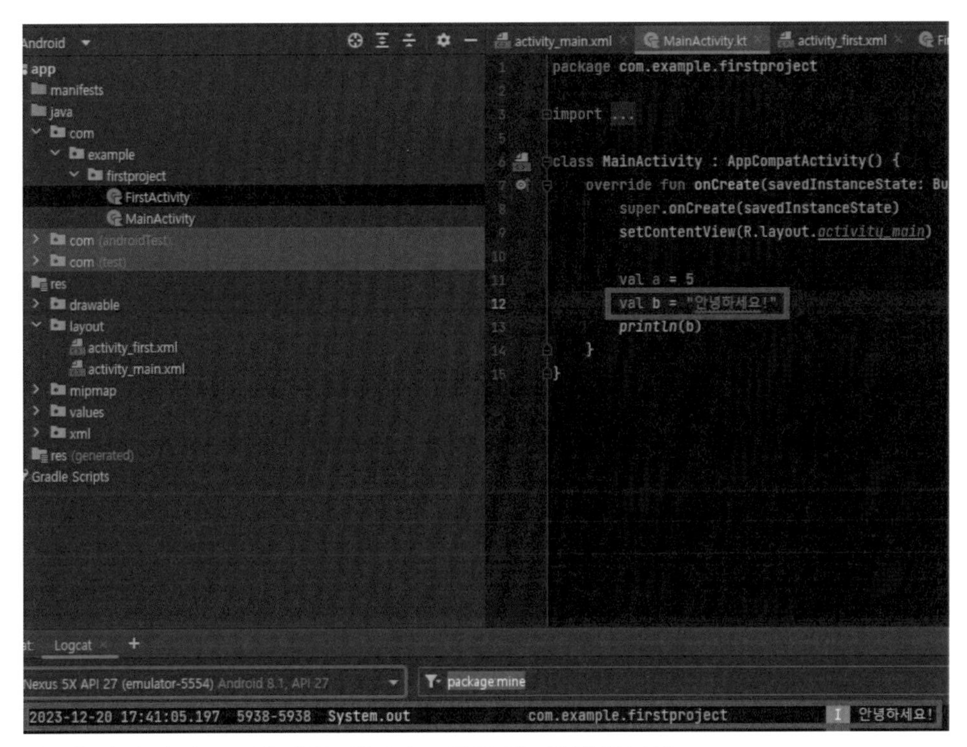

잘 출력됩니다. 코딩에서 변수는 종류가 존재합니다.

변수를 선언 할 때 큰따옴표가 붙어 있고 하나의 문자만 들어가 있으면 '문자형', 여러 개의 문자가 연속되어 있으면 '문자열형', 아무것도 없이 숫자만 있는 상태로 있는 변수가 선언된 것은 '정수형'로 표현합니다. 하지만 숫자라고 해서 전부 다 정수형이 아닙니다. 다음 장에서는 숫자로 표현하는 변수에는 어떤 종류가 있는지 알아보고, 다른 종류들도 알아봅시다.

챕터 1-5. 자료형

컴퓨터에서 말하는 변수의 종류는 데이터 타입(Data type)이나, 자료형으로 표현합니다. 그렇다면 이 자료형에는 어떤 종류가 있을까요?

자료형은 숫자와 문자열로 나뉩니다. 숫자는 1, 12, 123처럼 수로 나타내는 것을 말하죠. 그러면 문자열은 뭘까요?

'ㄱ, ㄴ, ㄷ, ㄹ….' 한글 말고도 알파벳 'a, b, c, d….'나 일본어, 중국어 등 말 그대로 문자를 말합니다. 그러면 숫자를 문자열로 선언하면 어떤 일이 일어날까요?

다음과 같이 MainActivity.kt 코드를 수정하고 결괏값을 확인해 봅시다.

예제 (MainActivity.kt)

```
package com.example.firstproject

import androidx.appcompat.app.AppCompatActivity
import android.os.Bundle

class MainActivity : AppCompatActivity() {
    override fun onCreate(savedInstanceState: Bundle?) {
        super.onCreate(savedInstanceState)
        setContentView(R.layout.activity_main)

        val a = 5 + 4
        val b = "5 + 4"
        println(a)
        println(b)
    }
}
```

결과:
9
5 + 4

문자열로 선언한 b는 잘 출력이 되었습니다. 그런데 왜 5 + 4로 출력이 되었을까요? a와 달라진 것은 큰따옴표를 추가한 것뿐인데 말이죠.

그 이유는 이 자료형들의 특성이 있기 때문입니다. 컴퓨터는 숫자로 선언한 4와 문자로 선언한 4를 다른 것으로 생각합니다. 왜냐하면 숫자나 더하기 기호, 뺄셈 기호, 곱셈 기호, 나누기 기호 등은 곧 문자이기도 하기 때문입니다. 따라서 우리는 이 변수를 선언할 때 자료형을 잘 고민해 보고 선언해야 합니다.

컴퓨터는 변수 a에 선언된 5 + 4를 덧셈으로 인식하고 더해서 9라는 값을 출력했습니다. 반대로 변수 b에 선언된 5 + 4는 5 + 4 자체를 문자열로 인식했다는 의미죠. 컴퓨터는 변수 b에 선언된 5 + 4도 하나의 문자열로 봅니다. 그렇다면 숫자는 문자열로 인식할 수 있으니, 문자열도 숫자로 인식할 수 있을까요? 한번 해봅시다.

예제 (MainActivity.kt)

```
package com.example.firstproject

import androidx.appcompat.app.AppCompatActivity
import android.os.Bundle

class MainActivity : AppCompatActivity() {
    override fun onCreate(savedInstanceState: Bundle?) {
        super.onCreate(savedInstanceState)
        setContentView(R.layout.activity_main)

        val a = 안녕하세요!
        val b = "안녕하세요!"
        println(a)
```

```
        println(b)
    }
}
```

이렇게 코드를 수정하고 실행시켜 봅니다. 그런데 변수 a에 선언한 '안녕하세요!'가 빨간색으로 뜹니다.

이는 오류가 발견되었다는 것인데요. 오류 발생의 원인은 문자를 숫자로는 표현할 수 없기 때문입니다.

예를 들어 한글을 숫자로 표현하고 싶은데, 어떻게 표현할까요?

불가능합니다. 누군가가 여러분에게 와서 '한글을 숫자로 적어!'라고 이야기한다면, 여러분은 표현하실 수 있겠나요?

안 되겠죠. 그래서 애초부터 오류가 발생합니다.

숫자와 문자열, 둘 다 알았으니, 자료형은 끝인 걸까요?
아니요. 컴퓨터에서는 하나의 자료형이 더 있습니다. '논리형'이라는 자료형이 하나가 더 있기 때문인데요. 논리형은 간단하게 '참'과 '거짓'으로 분류됩니다.

'참'은 'true'로, '거짓'은 'false'로 표현합니다. 논리형은 여기에서 그칩니다. 하지만 숫자는 추가로 여러 가지가 더 있습니다. 뭘까요?

바로 소수죠.

소수는 1.2나 2.2같이 소수점이 붙은 수를 소수라 부릅니다. 반면에 소수점이 붙지 않고 1, 2, 3 같은 자연수들을 '정수'라고 말합니다. 혹은 같은 소수점을 반복하는 순환소수나, 같은 소수점을 반복하지 않는 비순환소수, 즉 무리수 또한 존재합니다.

정수와 소수, 순환소수를 통틀어 실수라고 합니다. 소수를 표현하는 자료형에는 두 가지의 형태가 있습니다. 하나는 Float, 다른 하나는 Double입니다. (이 책에서는 단순히 소수라 표현했지만, 정확하게는 부동 소수점이라 말함.)

이 둘은 소수를 표현하는 것은 같지만 서로 사용할 수 있는 길이가 다릅니다. 다음은 여러 자료형을 선언한 코드입니다.

예제 (MainActivity.kt)

```
package com.example.firstproject

import androidx.appcompat.app.AppCompatActivity
import android.os.Bundle

class MainActivity : AppCompatActivity() {
    override fun onCreate(savedInstanceState: Bundle?) {
        super.onCreate(savedInstanceState)
        setContentView(R.layout.activity_main)

        //정수
        val a = 5
        //소수
        val b = 5.345346234625484
        //문자열
        val c = "안녕하세요!"
        println(a)
        println(b)
        println(c)
    }
}
```

//는 주석이라는 기능으로, 개발자가 따로 붙여두고 싶은 말이 있을 때 사용하는 기능입니다. 주석은 코드 실행에 영향을 미치지 않고 넘어가는 부분으로 그냥 메모 기능쯤 된다고 기억해 두시면 좋습니다.

챕터 1-6. 제어

제어는 뭘까요? 사전적인 의미의 제어란 무언가를 통제하거나 자신의 마음대로 움직이게끔 설정하는 것을 말합니다. 컴퓨터도 제어가 필요합니다. 간단하게 생각해 봅시다.

여러분이 RPG 게임을 한다고 가정해 봅시다. RPG 게임에서 가장 중요한 것은 뭘까요? 골드, 경험치, 캐릭터의 능력치 등등… 많은 것들이 떠오를 겁니다. 그중에서 저는 대표적인 골드를 뽑고 싶은데요. 골드로는 보통 장비를 강화하거나 아이템을 삽니다.

그런데, 필요한 골드를 가지고 있지 않음에도 불구하고 아이템을 살 수 있다면 어떨까요? 아이템을 공짜로 계속해서 살 수 있겠죠. 그래서 코딩에도 제어가 필요합니다.

여러분들이 블록 코딩을 할 때 '만일 -라면'이라는 블록을 봤을지 모르겠네요. 이 '만일' 블록은 언제 사용하나요? 무언가 조건을 두고 싶을 때 사용합니다. 다시 말해 특정 조건을 만족해야 코드가 실행되는 것. 즉, 제어입니다. 이번 장에서는 제어를 알아보겠습니다.

언어 대부분이 제어를 사용할 때는 if, else를 사용합니다.

하나씩 알아볼까요? 우선 if는 특정 조건이 참일 때 코드가 사용되게끔 제어합니다. 아까 골드를 예시로 들었죠? 골드가 부족하다면 아이템 구매를 취소시키는 방식으로 사용될 수 있겠군요.
그러면 if를 어떻게 사용하는지 알아봅시다.

예시

if (조건문){
실행 구문
}

위 코드가 if 문의 기본 구조입니다. 생각보다 어렵게 생기지는 않았죠? if

문은 조건문이 참일 때 코드를 실행시킨다고 했습니다. 참이나 거짓은 자료형 파트에서 true와 false로 표현했다고 했었습니다. 따라서 if 문은 조건문이 true 값일 때 실행됩니다. if 문을 사용한 예제 코드를 보겠습니다. 다음과 같이 코드를 작성하고 실행시켜 봅시다.

예제 (MainActivity.kt)

```
package com.example.firstproject

import androidx.appcompat.app.AppCompatActivity
import android.os.Bundle

class MainActivity : AppCompatActivity() {
    override fun onCreate(savedInstanceState: Bundle?) {
        super.onCreate(savedInstanceState)
        setContentView(R.layout.activity_main)

        //소유한 골드 값
        val gold = 30000

        //if문 시작
        //조건문
        if (gold == 30000 ) {
            println("아이템을 구매했습니다.") //출력
        }
    }
}
```

```
I 아이템을 구매했습니다.
```

잘 실행이 되는군요. 그러면 이번엔 소유한 골드가 양이 적다면 어떻게 될까요? 코드를 수정하고 실행시켜 봅시다.

예제 (MainActivity.kt)

```
package com.example.firstproject

import androidx.appcompat.app.AppCompatActivity
import android.os.Bundle

class MainActivity : AppCompatActivity() {
    override fun onCreate(savedInstanceState: Bundle?) {
        super.onCreate(savedInstanceState)
        setContentView(R.layout.activity_main)

        //소유한 골드 값
        val gold = 20000

        //if문 시작
        //조건문
        if (gold == 30000 ) {
            println("아이템을 구매했습니다.") //출력
        }
    }
}
```

이렇게 코드를 작성하고 로그를 확인해 보면 로그에 아무것도 나오지 않습니다. 왜일까요?

왜냐하면 골드의 값이 정확하게 30000일 때만을 조건에 걸어두었기 때문입니다. 20000이라는 값으로는 아이템을 살 수 없다는 것을 알려주고 싶은데, 어떻게 해야 할까요? if 문으로 20000을 조건에 걸면 될까요?

예제 (MainActivity.kt)

```
package com.example.firstproject

import androidx.appcompat.app.AppCompatActivity
import android.os.Bundle
```

```
class MainActivity : AppCompatActivity() {
    override fun onCreate(savedInstanceState: Bundle?) {
        super.onCreate(savedInstanceState)
        setContentView(R.layout.activity_main)

        //소유한 골드 값
        val gold = 20000

        //if 문 시작
        //아이템을 살 수 있을 때의 조건문
        if (gold == 20000) {
            println("골드가 부족하여 아이템을 구매할 수 없습니다.")
        }
        if (gold == 30000) {
            println("아이템을 구매했습니다.") //출력
        }
    }
}
```

이렇게 다시 코드를 수정하고 실행시켜 봅시다.

```
I 골드가 부족하여 아이템을 구매할 수 없습니다.
```

잘 실행이 되는군요. 그런데 이렇게 하면 문제가 생깁니다. 골드의 값이 20000이 아니라 20001일 수도 있고 20002일 수도 있습니다. 이렇게 값을 하나하나씩 다 지정한다면, 아무리 많은 시간을 주어도 이 문제를 해결하지 못합니다.

이럴 때 사용되는 것이 else입니다. else는 위에 있는 if 문들이 전부 다 거짓일 때 사용되는 코드를 정할 수 있는 코드입니다. 한 번 볼까요?

예제 (MainActivity.kt)

```
package com.example.firstproject
```

```
import androidx.appcompat.app.AppCompatActivity
import android.os.Bundle

class MainActivity : AppCompatActivity() {
    override fun onCreate(savedInstanceState: Bundle?) {
        super.onCreate(savedInstanceState)
        setContentView(R.layout.activity_main)

        //소유한 골드 값
        val gold = 2122

        //if 문 시작
        if (gold == 30000) {
            println("아이템을 구매했습니다.") //출력
        }
        //else 문 시작
        else {
            println("골드가 부족하여 아이템을 구매할 수 없습니다.")
        }
    }
}
```

결과:

```
I 골드가 부족하여 아이템을 구매할 수 없습니다.
```

우리는 if 문에 2122라는 값을 넣지 않았음에도 골드가 부족하다고 뜨는군요. 이는 if 문이 작동되지 않았으니, else가 대신에 실행된 것입니다. 그런데 이렇게 해도 또 다른 문제가 발생합니다. 골드의 값을 30000 초과로 지정하면 어떻게 될까요?

예제 (MainActivity.kt)

```
package com.example.firstproject
```

```
import androidx.appcompat.app.AppCompatActivity
import android.os.Bundle

class MainActivity : AppCompatActivity() {
    override fun onCreate(savedInstanceState: Bundle?) {
        super.onCreate(savedInstanceState)
        setContentView(R.layout.activity_main)

        //소유한 골드 값
        val gold = 2122

        //if 문 시작
        if (gold == 30001) {
            println("아이템을 구매했습니다.") //출력
        }
        //else 문 시작
        else {
            println("골드가 부족하여 아이템을 구매할 수 없습니다.")
        }
    }
}
```

결과:

```
I 골드가 부족하여 아이템을 구매할 수 없습니다.
```

30000이 넘어가는 값인데도 골드가 부족하다고 하는군요?
이상합니다. 왜일까요? 우리는 30000에 딱 맞는 것만을 정했기 때문에 if 문의 조건에 맞지 않아 발생하는 일입니다. 이것은 어떻게 해결해야 좋을까요?

조금 있다가 배울 '연산자'라는 것을 먼저 조금만 알아봅시다. 연산자는 말 그대로 '연산' 즉, 계산하는 것을 말합니다.

덧셈, 뺄셈, 곱셈, 나눗셈을 제외하고도 대소(크고 작은 것) 관계를 구분할 수 있는 것들이 있습니다.

우선은 대소 관계만 좀 확인을 해볼까요?

변수 a와 b가 있습니다. a의 값은 5이고 b의 값은 10입니다. a와 b 중 무엇이 더 큰가요? 네, 10인 b가 더 크겠죠. 그렇다면 7과 변수 b 중 무엇이 더 큰가요? 역시 b가 더 큽니다. 하지만 변수 b는 언제든지 값이 변할 수 있습니다. 6이 될 수도 있고 11이 될 수도 있습니다.

이 변수 b와 10을 크기 비교를 하고 b가 더 큰지, 같은지, 10이 더 큰지 확인하는 코드를 보겠습니다.

예시

```
        if (b > 10) {
            println("b가 더 큽니다.")
        }
        if (b== 10) {
            println("같습니다.")
        }
        else {
            println("b가 더 작습니다.")
        }
```

어떤가요? 어렵지 않죠?
맨 마지막의 구문이 else인 이유는 크고, 같고, 작은 것 중 크고 같은 경우는 코드로 썼으므로 작다는 코드를 if에 넣을 필요가 없어 else를 사용했습니다. 그렇다면 이것을 적용해 마무리해 봅시다.

예제 (MainActivity.kt)

```
package com.example.firstproject


import androidx.appcompat.app.AppCompatActivity
import android.os.Bundle
```

```
class MainActivity : AppCompatActivity() {
    override fun onCreate(savedInstanceState: Bundle?) {
        super.onCreate(savedInstanceState)
        setContentView(R.layout.activity_main)

        //소유한 골드 값
        val gold = 30001

        //if 문 시작
        //>=는 '왼쪽이 오른쪽과 같거나 크다.'라는 뜻을 가지고 있다.
        if (gold >= 30000) {
            println("아이템을 구매했습니다.") //출력
        }
        //else 문 시작
        else {
            println("골드가 부족하여 아이템을 구매할 수 없습니다.")
        }
    }
}
```

코드를 이렇게 수정시키고 앞으로 여러 값을 넣어 실행시켜 봅시다. 어떠한 값을 넣어도 더 이상의 문제점은 발견되지 않습니다. 물론, gold 값에 문자를 넣게 되면 오류가 발생합니다. 문자와 숫자끼리는 크기 비교가 불가능하기 때문이죠.

챕터 1-7. 반복

때때로 우리는 한 행동을 계속해서 다시 해야 하는 경우가 있습니다. 이를 반복이라고 부르죠. 반복에는 어떤 예가 있나요?

숨을 쉬거나, 눈을 깜빡이거나, 잠을 자는 행동 등이 있습니다.

프로그래밍할 때도 이런 반복이 필요합니다. 그렇다면 반복이 왜 필요할까요? 중복되는 코드를 줄이기 위해 사용되거나, 한 작업이 계속 반복되어야 하는 작업일 경우에 필요합니다.

이 반복은 코틀린에서 for와 while을 사용하게 됩니다. 이런 반복을 하게 되면 코드 작업량이 줄어드는 장점도 있습니다.

어느 정도 반복이 필요한 이유를 알아보았으니 어떻게 코드를 작성하면 될지 알아봅시다. for 문의 기본적인 구문을 먼저 보겠습니다. 특정 횟수를 반복해 주는 일에는 for 문을 사용합니다.

예시

```
for (a in 0..100) {
    println(a)
}
```

우선 변수 a를 선언해 줍니다. 그리고 a의 값을 출력해 주는 아주 간단한 구문인데요. 여기에서 (a in 0..100)은 범위를 나타냅니다. 즉, a의 값이 100이 될 때까지 a의 값을 계속해 출력한다는 의미를 나타냅니다.

이번에는 while 문을 봅시다. while 문은 어떤 조건이 맞춰지기 전까지는 계속해서 코드가 반복됩니다. 다음 코드는 while 문의 예시입니다.

예시

```
//변수 a 선언
var a = 0
```

```
//a의 값이 100보다 작을 때 반복
while (a < 100) {
    //a의 값을 1씩 증가
    a++
    //a의 값을 출력
    println(a)
}
```

이번에는 while 문을 봅시다. while 문은 어떤 조건이 맞춰지기 전까지는 계속해서 코드가 반복됩니다. 다음 코드는 while 문의 예시입니다.
가끔은 반복을 그만두어야 할 때가 있습니다. 그럴 때는 break를 사용하면 됩니다.

예시

```
//변수 a 선언
var a = 0

//a의 값이 100보다 작을 때 반복
while (a < 100) {
    //a의 값을 1씩 증가
    a++
    //a의 값을 출력
    println(a)
    //반복 중단
    break
}
```

break를 만나면서 바로 반복문이 종료되어 1만 출력이 됩니다. 이는 for 문에서도 똑같이 적용할 수 있습니다.

챕터 1-8. 배열

배열은 어떤 자료를 편리하게 관리하게 만든 자료형입니다. 변수는 하나의 값을 가지고 있는 자료형이지만 배열의 경우는 여러 가지의 자료형을 가지고 있을 수 있습니다.

배열을 사용하는 이유는 간단합니다. 여러 가지의 자료형을 한번 선언하는 것만으로도 충분히 관리할 수 있고 사용하는 것이 가능하기 때문입니다. 배열을 어떻게 선언하는지 알아봅시다.

예시

```
var array = arrayOf("안녕하세요", 1, true)
println(array[0])
```

이렇게 여러 가지의 자료형을 함께 선언할 수 있습니다. println의 안에 들어있는 괄호 내부의 숫자는 이 배열에 선언된 자료들의 크기입니다.

배열에 선언된 자료들의 크기는 0부터 시작하여 올라갑니다. 따라서 array 배열에서 0번을 출력하라는 의미는 '안녕하세요'를 출력하라는 이야기지요. 참고로 크기를 인덱스(index)라고도 부릅니다.

이번에는 배열 내부의 값을 변경하는 방법을 알아봅시다.

예시

```
var array = arrayOf("안녕하세요", 1, true)
println(array[0])
array[0] = "Hello"
println(array[0])
```

이렇게 코드를 수정하면 '안녕하세요'의 값이 'Hello'로 변경되는 것을 볼 수 있습니다. '안녕하세요'가 'Hello'로 변경되는 이유는 array 배열에서는 크기(인덱스)를 0번부터 센다고 했었죠? 그 때문입니다. 다만 배열은 자료를 수정할 수 있지만, 크기를 수정할 수는 없습니다. 이것이 무슨 말이냐 하면, 현재 2로 정해져 있는 크기를 변경할 수는 없다는 것입니다. 그 예시로 다음 코드를 보겠습니다.

예시

```
var array = arrayOf("안녕하세요", 1, true)
println(array[0])
array[0] = "Hello"
println(array[0])
array[3] = "에러"
println(array[3])
```

이렇게 코드를 적으면 ArrayIndexOutOfBoundsException 오류가 발생하게 됩니다. 즉, 해당 배열의 인덱스 크기가 3이 넘지 않기 때문에 오류가 발생합니다. 왜냐하면 '안녕하세요'가 0번, 1이 1번, true가 2번으로 배열의 크기를 정해주는 것이 끝났기 때문이죠.

한번 정리를 하자면,

1. 배열의 크기는 선언할 때부터 정해져 있으며, 이 크기를 인덱스(index)라고 부른다.
2. 배열에 선언한 값을 변경할 수는 있지만, 배열의 크기(인덱스)를 바꿀 수는 없다.
3. 배열에 존재하지 않는 인덱스의 값을 바꿀 수 없다.

챕터 1-9. 함수 선언

중, 고등학생이라면 '함수'라는 단어를 많이 접했을 겁니다. 수학에서의 함수는 뭔가요? x에 대하는 변수 f(x) (즉, y)를 이야기합니다. 이것이 무엇을 뜻하는 걸까요? 우리가 앞에서 변수를 공부했었습니다.

변수란 무엇이었죠? 매 순간 바뀔 수 있는 값을 변수라고 이야기했었습니다. 어떤 변수를 x로 정했을 때, 이 x의 값을 정해줍니다. x의 값이 700이라고 해보죠.

이 x의 값이 700으로 정해졌을 때 y의 값도 정해지는 것, 이것을 'x에 대하는 함수'라고 이야기합니다. 기호로는 y를 사용하거나 f(x)로 나타냅니다. 약간 어렵나요? 쉽게 얘기할 수 있는 게임 쪽으로 가봅시다.

체력 회복 물약이 700코인에 팔리고 있습니다. 물약을 구매하기 위해 상점을 열었는데, 창이 하나 생성됩니다. 이 창에서 개수를 정하는데, 5개를 산다고 합시다.

1개당 700이니 700 * 5를 하여 3500이 되겠군요. 저희가 물약의 개수를 얼마로 정했나요? 5개라고 했었죠. 그러면 x는 5가 됩니다.

그와 동시에 물약의 개당 가격은 700이고 5개를 산다고 했으니 곱하기를 해서 700 * 5 이 되었습니다. 이를 간단하게 표현하면 700x죠. 좀 더 이해하기 쉽게 숫자로만 설명하겠습니다.

개수와 가격이 정해졌으니, 3500이라는 가격이 나왔죠?

수학식으로 나타내면 y = 700x 가 되는 것이죠. 이렇게 개수 x가 정해졌을 때 총금액인 y의 가격이 정해졌습니다. 이것이 바로 수학에서 정의하는 함수입니다.

하지만 우리는 프로그래밍에서의 함수를 알아야겠죠? 프로그래밍에서 정의하는 함수는 수학에서의 함수보다는 조금 더 쉬울 수도 있습니다. 간단하게 말하면 특정 역할을 할 때 필요한 코드를 모아놓은 일종의 창고입니다. 예를 들어보자면 상점 창을 열어야 하는 기능, 공격해야 하는 기능, 피해야 하는 기능 등, 여러 가지 작업해야 할 코드를 하나의 함수로 정할 수 있는 것입니다.

그러면 함수를 어떻게 선언하는지 알아봅시다. 함수의 선언 키워드는 fun입니다. 함수의 영어인 function을 줄인 말이죠. 위에서 수학의 함수를 설명할 때 있었던 f(x) 또한 마찬가지예요. 다음과 같이 MainActivity 코드를 수정해 봅시다.

그런데 화면에 아무것도 없으니 심심하죠? 함수를 본격적으로 선언하기 전에 약간 재미있는 부분을 보겠습니다. 우리가 앞에서 FirstActivity를 생성했을 때같이 생성됐던 xml 파일 기억나나요? 이 파일이 하는 역할은 사용자의 화면을 구성하는 파일이라고 설명했었습니다. 잠시 이 xml 파일을 수정해 우리가 쓸 화면을 하나만 간단하게 구성해 봅시다.

앞으로 챕터를 볼 때마다 xml 파일을 수정하는 부분이 많으니 알아두세요. 파일의 경로는 app>res>layout>activity_main.xml입니다. 본인이 정한 액티비티의 이름이 xml 파일이 생성될 때 함께 정해집니다.

xml 파일을 더블클릭해 열어줍니다.

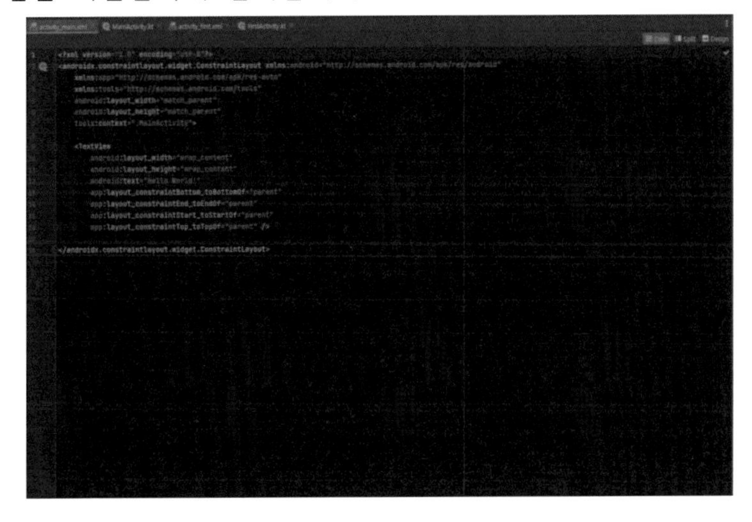

그러면 위와 같이 코드가 쓰여 있습니다. 하나씩 알아볼까요?

TextView는 말 그대로 화면에 글자를 띄우는 요소입니다. 화면에 이런 여러 요소를 위젯(widget)이라고 부릅니다. 아래에 있는 코드들은 '속성' 이라고 합니다. 우선은 좀 자주 볼 속성들만 알아봅시다. layout_width는 가로의 비율을 지정합니다.

폭과 높이가 글자에 딱 맞게끔 설정하는 wrap_content와 부모에 높이와 폭을 맞추게 설정하는 match_parent가 있습니다.

다른 속성들은 이후에 예제들을 직접 만들어 보면서 익힐 수 있으니, 걱정하지 마세요. 하지만 바로 이런 코드들로 되어있는 것을 보면서 분석하기에는 무리가 있어 보입니다. 그래서 안드로이드 스튜디오에서는 xml 파일을 수정할 때 여러 방식으로 xml 파일을 수정할 수 있게 만들어 놓았습니다.

코드를 보는 화면 오른쪽 위 상단에 각각 Code, Split, Design이 있는 것이 보이죠? 하나씩 클릭해 봅시다.

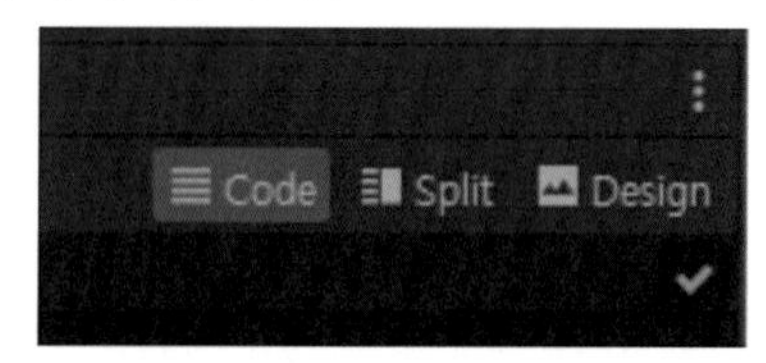

지금 보는 화면은 Code입니다. 그러면 이번엔 Split으로 가봅시다.

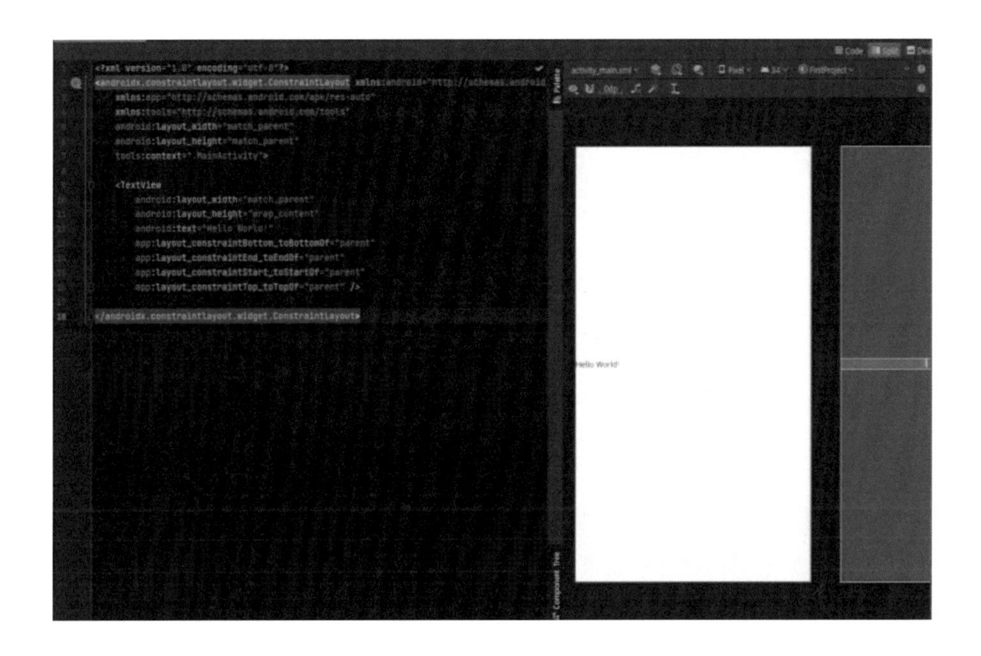

왼쪽은 코드를 보여주고 오른쪽은 코드가 실제로 어떻게 적용되는지 보여주는 화면입니다. 그러면 Design을 볼까요?

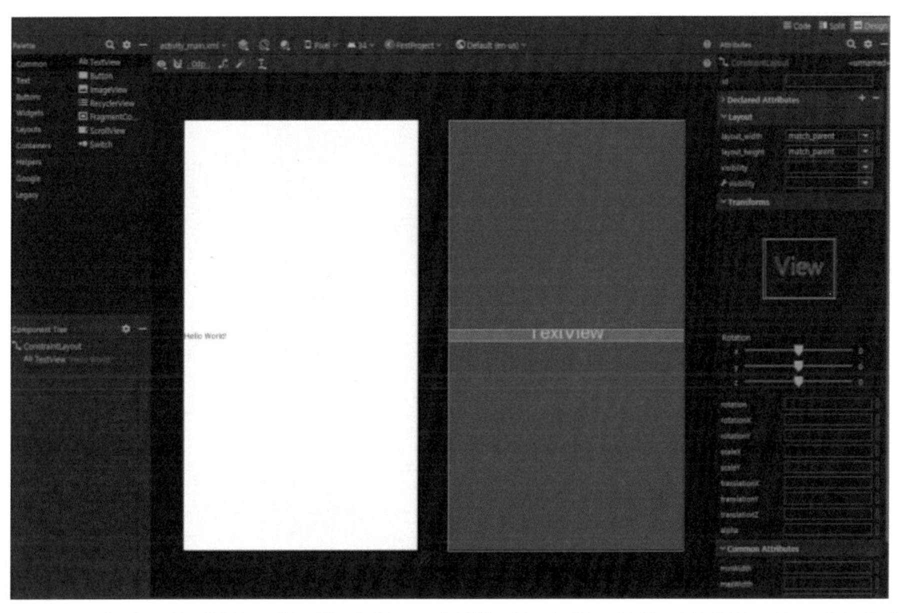

Design 탭은 맨 처음 앱 화면을 구현해 보기에 가장 적절한 도구입니다. Palette 쪽에서 여러 가지의 위젯을 가지고 화면을 꾸밀 수 있죠. 하지만,

이 위젯은 이 자체로 어떤 행동을 하지는 않습니다. 무슨 말이냐면, 어떤 버튼이 클릭 되었을 때 그것이 스스로 자신이 눌린 횟수를 표시해 준다든가 하는 행위를 하지 못한다는 뜻이지요.

이러한 행위들은 직접 프로그래밍해야 합니다.

이번에는 간단하게 버튼을 하나만 놓아보겠습니다. 우선은 화면에 있는 TextView를 지워주도록 합시다. TextVIew를 클릭한 후에 키보드에 있는 Delete를 눌러도 되고, 우클릭하여 Delete를 해도 상관은 없습니다. 다음은 TextView를 삭제한 후의 화면입니다.

레이아웃은 화면에 위젯을 배치하기 위해서, 필요한 요소입니다.
이곳에 보이는 ConstrainLayout은 xml 파일의 기본적인 레이아웃입니다.
레이아웃에는 많은 종류가 있으니 조금 뒤에서 다루도록 하겠습니다.

이번엔 Palette에서 Button을 드래그하여 화면으로 가져가 놓아볼까요? 어느 곳이건 상관없습니다. 저는 중앙이 좋군요.

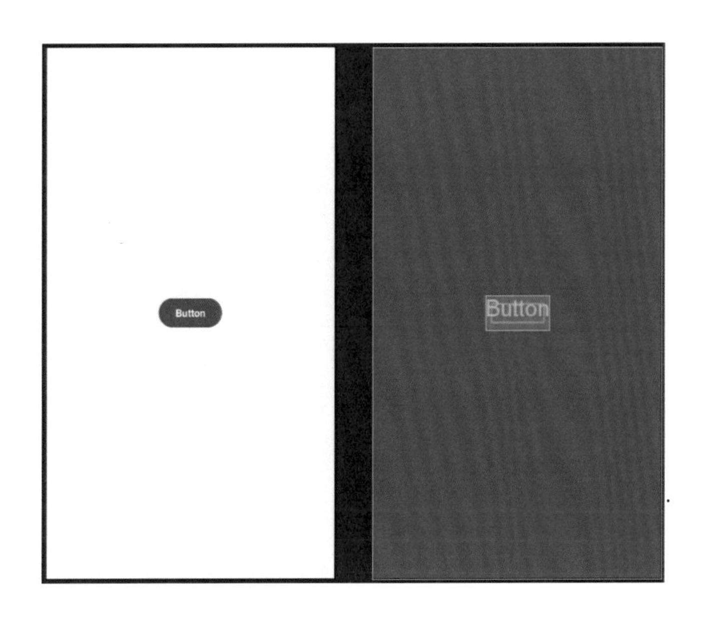

이렇게 버튼이 배치되었습니다. 한번 이렇게 배치가 잘 되었을지 확인해 볼까요?

어? 버튼의 위치가 중앙이 아닌 왼쪽 상단 모서리로 정해졌습니다. 왜일

까요? 참 이상합니다. 한번 xml 파일의 보기를 Code로 바꿔봅시다.

```
1  <?xml version="1.0" encoding="utf-8"?>
2  <androidx.constraintlayout.widget.ConstraintLayout xmlns:android="http://schemas.android.com/apk/res/android"
3      xmlns:app="http://schemas.android.com/apk/res-auto"
4      xmlns:tools="http://schemas.android.com/tools"
5      android:layout_width="match_parent"
6      android:layout_height="match_parent"
7      tools:context=".MainActivity">
8
9      <Button
10         android:id="@+id/button"
11         android:layout_width="wrap_content"
12         android:layout_height="wrap_content"
13         android:text="Button"
14         tools:layout_editor_absoluteX="160dp"
15         tools:layout_editor_absoluteY="341dp" />
16 </androidx.constraintlayout.widget.ConstraintLayout>
```

Button에 빨간색 밑줄이 있습니다. 이는 코드에 오류가 있다는 의미인데요. 이 오류는 매우 심각한 오류가 아니라 버튼의 위치를 확실하게 정할 수 없다는 오류로 해석할 수 있습니다.

좀 더 정확하게 오류를 알고 싶다면 하단의 Problems를 통해 알 수 있습니다. 현재 코드에서 Problems 탭을 눌러볼까요?

```
Problems:  File 3   Project Errors
activity_main.xml  C:₩src₩FirstProject₩app₩src₩main₩res₩layout 3 problems
  This view is not constrained. It only has designtime positions, so it will jump to (0,0) at runtime unless you add the constraints :9
  ⚠ Namespace declaration is never used :3
  ⚠ Hardcoded string "Button", should use `@string` resource :13
```

빨간색 느낌표가 오류 발생 원인과 오류가 난 줄의 행을 알려줍니다. 현재의 오류를 요약해 보면 현재 View(버튼)가 디자인된 위치만 있고 어떠한 제약도 있지 않기 때문에 강제로 (0, 0) 좌표로 이동하게 된다고 되어 있습니다.

이 현상을 수정하기 위해서는 xml 파일을 Design 탭으로 보게 해주게 한 뒤에,

이 마법 봉을 클릭해 주게 되면 자동으로 제약을 걸어주는 코드가 생성됩니다.

```
1  <?xml version="1.0" encoding="utf-8"?>
2  <androidx.constraintlayout.widget.ConstraintLayout xmlns:android="http://schemas.android.com/apk/res/android"
3      xmlns:app="http://schemas.android.com/apk/res-auto"
4      xmlns:tools="http://schemas.android.com/tools"
5      android:layout_width="match_parent"
6      android:layout_height="match_parent"
7      tools:context=".MainActivity">
8
9      <Button
10         android:id="@+id/button"
11         android:layout_width="wrap_content"
12         android:layout_height="wrap_content"
13         android:text="Button"
14         app:layout_constraintBottom_toBottomOf="parent"
15         app:layout_constraintEnd_toEndOf="parent"
16         app:layout_constraintStart_toStartOf="parent"
17         app:layout_constraintTop_toTopOf="parent" />
18 </androidx.constraintlayout.widget.ConstraintLayout>
```

이렇게 자동으로 오류까지 말끔히 해결됩니다.

한번 글자도 바꿔볼까요? android:text 뒤에 있는 Button이라는 글자를 바꿔보겠습니다. 저는 포션 구매로 바꾸겠습니다.

```
1  <?xml version="1.0" encoding="utf-8"?>
2  <androidx.constraintlayout.widget.ConstraintLayout xmlns:android="http://schemas.android.com/apk/res/android"
3      xmlns:app="http://schemas.android.com/apk/res-auto"
4      xmlns:tools="http://schemas.android.com/tools"
5      android:layout_width="match_parent"
6      android:layout_height="match_parent"
7      tools:context=".MainActivity">
8
9      <Button
10         android:id="@+id/button"
11         android:layout_width="wrap_content"
12         android:layout_height="wrap_content"
13         android:text="포션 구매"
14         app:layout_constraintBottom_toBottomOf="parent"
15         app:layout_constraintEnd_toEndOf="parent"
16         app:layout_constraintStart_toStartOf="parent"
17         app:layout_constraintTop_toTopOf="parent" />
18 </androidx.constraintlayout.widget.ConstraintLayout>
```

우리가 버튼을 배치한 이유는 함수를 이해하기 위해서였죠?

이제 함수를 선언해 봅시다. 함수를 선언하는 키워드가 뭐였는지 기억나나요? 네. 함수의 영문인 function의 약자, fun이었습니다.

키워드를 외우려고 하지 말고 '그렇구나~' 정도로 이해하고 넘어가셔도 이후의 내용을 이해하는 데에는 큰 지장은 없습니다. 오히려 외우려고 하면 재미가 떨어진다고 생각합니다.

자, 이제 MainActivity.kt를 작성해 줍시다.

예제 (MainActivity.kt)

```
package com.example.firstproject

import androidx.appcompat.app.AppCompatActivity
import android.os.Bundle

class MainActivity : AppCompatActivity() {
    override fun onCreate(savedInstanceState: Bundle?) {
        super.onCreate(savedInstanceState)
        setContentView(R.layout.activity_main)

        //변수 선언
        var gold = 100000

        //함수 선언
        fun buyPotion() {
            if (gold >= 700) {
                //변수 gold에서 700을 빼는 계산식
                gold -= 700
                println("포션을 구매했습니다.")
            } else {
                println("골드가 부족합니다.")
            }
        }
    }
}
```

이렇게 포션을 구매하는 행동을 함수로 구현했습니다. 하지만 문제가 한 가지 생깁니다. 위젯은 있는 것만으로는 어떠한 행동도 취하지 않습니다.

그렇다면 버튼이 클릭 되는 것을 감지하기 위한 코드가 필요합니다.
그 코드를 한번 작성해 보죠.

예제 (MainActivity.kt)

```
package com.example.firstproject

import androidx.appcompat.app.AppCompatActivity
import android.os.Bundle
import android.widget.Button

class MainActivity : AppCompatActivity() {
    override fun onCreate(savedInstanceState: Bundle?) {
        super.onCreate(savedInstanceState)
        setContentView(R.layout.activity_main)

        //변수 선언
        var gold = 100000

        //함수 선언
        fun buyPotion() {
            if (gold >= 700) {
                //변수 gold에서 700을 빼는 계산식
                gold -= 700
                println("포션을 구매했습니다.")
            } else {
                println("골드가 부족합니다.")
            }
        }

        //버튼의 클릭을 감지하고 buy Potion 함수를 작동시키는 코드
         findViewById<Button>(R.id.button).setOnClickListener {
            buyPotion()
        }
    }
```

```
}
```

코드를 다 편집했다면 실행하고 테스트해 봅시다.

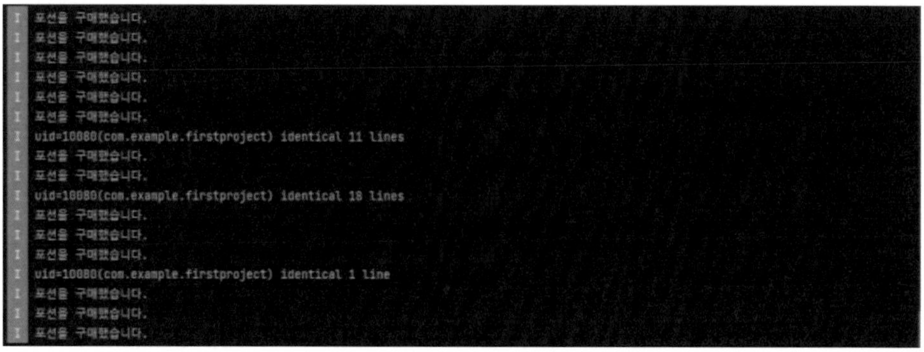

```
I 포션을 구매했습니다.
I 포션을 구매했습니다.
I 포션을 구매했습니다.
I 포션을 구매했습니다.
I 포션을 구매했습니다.
I 포션을 구매했습니다.
I uid=10080(com.example.firstproject) identical 11 lines
I 포션을 구매했습니다.
I 포션을 구매했습니다.
I uid=10080(com.example.firstproject) identical 18 lines
I 포션을 구매했습니다.
I 포션을 구매했습니다.
I 포션을 구매했습니다.
I uid=10080(com.example.firstproject) identical 1 line
I 포션을 구매했습니다.
I 포션을 구매했습니다.
I 포션을 구매했습니다.
```

버튼을 누를 때마다 잘 실행이 되는군요. 약간 아쉬운 점은 이 코드는 포션만 구매할 수 있다는 것이죠. 다른 아이템들도 구매할 수 있게 다른 버튼들을 추가해 보겠습니다. 그리고 현재 소유한 골드의 값을 화면에 보이게 만들어 봅시다.

다음과 같이 activity_main.xml 파일의 코드를 수정해 봅시다.

예제 (activity_main.xml)

```
<?xml version="1.0" encoding="utf-8"?>
<androidx.constraintlayout.widget.ConstraintLayout
    xmlns:android="http://schemas.android.com/apk/res/android"
    xmlns:app="http://schemas.android.com/apk/res-auto"
    xmlns:tools="http://schemas.android.com/tools"
    android:layout_width="match_parent"
    android:layout_height="match_parent"
    tools:context=".MainActivity">

    <Button
        android:id="@+id/button"
        android:layout_width="wrap_content"
```

```
        android:layout_height="wrap_content"
        android:text="체력 포션 구매"
        app:layout_constraintBottom_toBottomOf="parent"
        app:layout_constraintEnd_toEndOf="parent"
        app:layout_constraintHorizontal_bias="0.498"
        app:layout_constraintStart_toStartOf="parent"
        app:layout_constraintTop_toTopOf="parent"
        app:layout_constraintVertical_bias="0.023" />

    <Button
        android:id="@+id/button1"
        android:layout_width="wrap_content"
        android:layout_height="wrap_content"
        android:text="마나 포션 구매"
        app:layout_constraintStart_toStartOf="@+id/button"
        app:layout_constraintTop_toBottomOf="@+id/button" />

    <Button
        android:id="@+id/button2"
        android:layout_width="wrap_content"
        android:layout_height="wrap_content"
        android:layout_marginEnd="6dp"
        android:text="검 구매"
        app:layout_constraintEnd_toEndOf="@+id/button3"
        app:layout_constraintTop_toBottomOf="@+id/button1" />

    <Button
        android:id="@+id/button3"
        android:layout_width="wrap_content"
        android:layout_height="wrap_content"
        android:layout_marginStart="15dp"
        android:text="방패 구매"
        app:layout_constraintStart_toStartOf="@+id/button1"
```

```
        app:layout_constraintTop_toBottomOf="@+id/button2" />
    <Button
        android:id="@+id/button4"
        android:layout_width="wrap_content"
        android:layout_height="wrap_content"
        android:text="갑옷 구매"
        app:layout_constraintStart_toStartOf="@+id/button3"
        app:layout_constraintTop_toBottomOf="@+id/button3" />

    <Button
        android:id="@+id/button5"
        android:layout_width="wrap_content"
        android:layout_height="wrap_content"
        android:text="투구 구매"
        app:layout_constraintStart_toStartOf="@+id/button4"
        app:layout_constraintTop_toBottomOf="@+id/button4" />

</androidx.constraintlayout.widget.ConstraintLayout>
```

코드를 다 작성하면 이런 화면이 구성됩니다.

화면을 다 구성했으니 이제 실행되는 코드를 작성해 봅시다. MainActivity.kt 파일을 열고 다음과 같이 코드를 작성하고 실행해 봅시다.

예제 (MainActivity.kt)

```
package com.example.firstproject

import androidx.appcompat.app.AppCompatActivity
import android.os.Bundle
import android.widget.Button
import android.widget.TextView

class MainActivityAppCompatActivity() {
    override fun onCreate(savedInstanceState: Bundle?) {
        super.onCreate(savedInstanceState)
        setContentView(R.layout.activity_main)

        //변수 선언
        var gold = 100000

        //현재 xml 파일에 있는 TextView를 변수로 할당하여 사용
        val text = findViewById<TextView>(R.id.textView)

        //$는 문자열 내에서 다른 변수의 값을 불러오고 싶을 때 사용
        text.text = "현재 소유한 골드 : $gold"


        //체력 포션 구매 함수 선언
        fun buyHPPotion() {
            if (gold >= 700) {
                gold -= 700
                text.text = "현재 소유한 골드 : $gold"
                println("체력 포션을 구매했습니다.")
            } else {
                println("골드가 부족합니다.")
```

```
        }
    }

    fun buyMPPotion() {
        if (gold >= 700) {
            gold -= 700
            text.text = "현재 소유한 골드 : $gold"
            println("마나 포션을 구매했습니다.")
        } else {
            println("골드가 부족합니다.")
        }
    }

    fun buySword() {
        if (gold >= 1300) {
            gold -= 1300
            text.text = "현재 소유한 골드 : $gold"
            println("검을 구매했습니다.")
        } else {
            println("골드가 부족합니다.")
        }
    }

    fun buyShield() {
        if (gold >= 1800) {
            gold -= 1800
            text.text = "현재 소유한 골드 : $gold"
            println("방패를 구매했습니다.")
        } else {
            println("골드가 부족합니다.")
```

```
        }
    }

    fun buyArmor() {
        if (gold >= 2400) {
            gold -= 2400
            text.text = "현재 소유한 골드 : $gold"
            println("갑옷을 구매했습니다.")
        } else {
            println("골드가 부족합니다.")
        }
    }

    fun buyHelmet() {
        if (gold >= 3000) {
            gold -= 3000
            text.text = "현재 소유한 골드 : $gold"
            println("투구를 구매했습니다.")
        } else {
            println("골드가 부족합니다.")
        }
    }

    //버튼의 클릭을 감지하고 buyPotion함수를 작동시키는 코드
    findViewById<Button>(R.id.button).setOnClickListener {
        buyHPPotion()
    }

    findViewById<Button>(R.id.button1).setOnClickListener {
        buyMPPotion()
```

```
        }

        findViewById<Button>(R.id.button2).setOnClickListener {
            buySword()
        }

        findViewById<Button>(R.id.button3).setOnClickListener {
            buyShield()
        }

        findViewById<Button>(R.id.button4).setOnClickListener {
            buyArmor()
        }

        findViewById<Button>(R.id.button5).setOnClickListener {
            buyHelmet()
        }

    }
}
```

코드를 다 입력했다면 실행해 봅시다.

돈이 줄어드는 모습을 확인할 수 있습니다. 여기까지 읽고 나서, 코드를 한번 분석해 보세요. 그러면 코드를 이해하는 것에 도움이 됩니다. 코드를 보다 보면 아마 그런 생각이 들 수도 있습니다. "어? 이거 그냥 버튼 클릭을 감지하는 코드에서 바로 함수에 있는 코드들을 쓰면 되는 거 아니야?"

네. 맞습니다. 사실 현재 우리가 함수에 작성한 코드는 클릭 이벤트 블록 내에 넣어서 사용할 수도 있습니다. 심지어는 이 코드는 매우 보기 좋지 않게 짜인 코드입니다. 왜냐하면 버튼의 클릭을 감지하는 코드에 넣는 것도 있지만 배열을 사용하면 더 짧게 나타낼 수 있기 때문입니다.

그나마 지금은 비교적 간단한 코드이기 때문에 함수를 이렇게 사용해도 상관이 없을 것 같다는 생각이 듭니다. 하지만 일반적으로 함수는 코드 간략화에 도움이 된다는 점, 반드시 기억합시다.

CHAPTER 2

연산자 이해하기

챕터 2. 연산자

이번 챕터에서는 연산자를 알아보겠습니다.

연산자는 프로그래밍에서 절대로 빠질 수가 없는 부분인데요. 연산자란, 말 그대로 연산할 수 있도록 하는 것입니다.

연산자는 산술 연산자, 대입 연산자, 복합 대입 연산자, 증감 연산자, 비교 연산자, 논리 연산자로 나누어집니다. 우선 각각의 연산자들이 어떤 역할을 하는지 알아보겠습니다.

산술 연산자는 우리가 수학을 배우면서 자연스레 접할 수 있는 +, -, *, / (덧셈, 뺄셈, 곱셈, 나눗셈)의 것들입니다. 산술 연산자에는 % 가 있는데, 이는 나눈 후에 몫이 나오는 나누기와 다르게 나머지를 표시합니다.

다음과 같이 MainActivity.kt 코드를 수정하고 실행시켜 봅시다.

산술 연산자

예제 (MainActivity.kt)

```
package com.example.firstproject


import androidx.appcompat.app.AppCompatActivity
import android.os.Bundle


class MainActivity : AppCompatActivity() {


    override fun onCreate(savedInstanceState: Bundle?) {
        super.onCreate(savedInstanceState)
        setContentView(R.layout.activity_main)


        val a = 1 + 2
        val b = 2 - 1
        val c = 2 * 7
```

```
        val d = 6 / 2
        val e = 11 % 2

        println(a)
        println(b)
        println(c)
        println(d)
        println(e)

    }
}
```

이번에는 대입 연산자입니다. 사실 대입 연산자는 여러분들이 변수를 배울 때부터 이미 접했던 연산자입니다. 심지어는 방금 산술 연산자 예시 코드를 적을 때에도 사용했습니다.

다만 알아두어야 할 것은 수학에서 사용하는 =와는 다르다는 것을 인지해야 합니다. 왜냐하면 수학에서 =는 '같다'라는 뜻이지만 프로그래밍에서는 그런 뜻으로 사용되지 않습니다. 프로그래밍에서의 =는 '값을 넣는다'라는 뜻입니다.

대입 연산자

예제 (MainActivity.kt)

```
package com.example.firstproject

import androidx.appcompat.app.AppCompatActivity
import android.os.Bundle

class MainActivity : AppCompatActivity() {

    override fun onCreate(savedInstanceState: Bundle?) {
        super.onCreate(savedInstanceState)
        setContentView(R.layout.activity_main)

```

```
        val a = "안녕하세요!"
        println(a)
    }
}
```

이번에는 복합 대입 연산자입니다. 복합 대입 연산자는 대입 연산자와는 조금은 다른 일을 합니다. 대입 연산자는 산술 연산자와 대입 연산자의 역할을 함께 처리하는데요. 우선 다음 예제를 MainActivity.kt 파일을 편집하고 실행시킨 후에 이해해 봅시다.

복합 대입 연산자

예제 (MainActivity.kt)

```
package com.example.firstproject

import androidx.appcompat.app.AppCompatActivity
import android.os.Bundle

class MainActivity : AppCompatActivity() {

    override fun onCreate(savedInstanceState: Bundle?) {
        super.onCreate(savedInstanceState)
        setContentView(R.layout.activity_main)

        var v = 6
        v += 12
        println(v)
        v -= 10
        println(v)
        v *= 3
        println(v)
        v /= 8
        println(v)
        v %= 2
        println(v)
```

```
    }
}
```

변수 v를 선언해 줍니다. 그 후에 +=연산자를 사용했는데 이는 변수 v에 12를 더한다는 의미입니다. 그래서 Logcat을 확인해 보면 출력값은 18입니다. -= 10은 변수 v에 10을 빼겠다는 의미입니다. 출력값은 8입니다. 이렇게 복합 대입 연산자는 변수 하나의 값을 수정하면서 저장할 수 있습니다. 이번에는 *=입니다. 출력값은 24군요. /=의 출력값은 3, %=는 1입니다. 복합 대입 연산자는 주로 값은 누적해야 하는 조건에서 주로 사용됩니다.

게임을 만들 때도 상당히 자주 쓰일 것 같지 않나요? 증감 연산자는 복합 대입 연산자와 비슷하지만, 상당히 간편하며 단순합니다. 그저 값을 1씩 증가, 혹은 감소시킵니다.

증감 연산자

예제 (MainActivity.kt)

```
package com.example.firstproject

import androidx.appcompat.app.AppCompatActivity
import android.os.Bundle

class MainActivity : AppCompatActivity() {

    override fun onCreate(savedInstanceState: Bundle?) {
        super.onCreate(savedInstanceState)
        setContentView(R.layout.activity_main)

        var v = 1
        v++
        println(v)
        v--
        println(v)
```

```
    }
}
```

출력값은 2, 1로 동작을 잘 확인할 수 있습니다.
비교 연산자는 각각 >, >=, ==, !=, ===, !==, <, <=로 표현합니다.

비교 연산자

예제 (MainActivity.kt)

```
package com.example.firstproject

import android.appcompat.app.AppCompatActivity
import android.os.Bundle

class MainActivity : AppCompatActivity() {

    override fun onCreate(savedInstanceState: Bundle?) {
        super.onCreate(savedInstanceState)
        setContentView(R.layout.activity_main)

        val a = 5
        val b = 8
        val c = 8

        println(a > b)
        println(a >= b)
        println(a == b)
        println(a != b)
        println(a === b)
        println(b === c)
        println(a !== b)
        println(b !== c)
        println(a < b)
        println(a <= c)
    }
```

```
}
```

비교 연산자의 반환값은 true, false입니다. 즉, 참과 거짓으로만 나타낼 수 있다는 이야기죠. 하나씩 출력값을 보며 어떻게 처리된 것인지 보겠습니다.

a>b는 'a가 b보다 큰가?'로, a는 5, b는 8이기 때문에 거짓이므로 false로 출력이 되었군요. >=는 'a가 b와 같거나 큰가?'로, 이 또한 a는 5이고 b는 8이기 때문에 false로 출력이 되었습니다. ==는 '값이 같은가?'라는 뜻입니다. 하지만 5와 8은 같지 않기 때문에 이 역시 false로 출력되었습니다.

!=는 ==의 반대 개념으로 '값이 다른가?'라는 의미입니다. 이는 5와 8은 다르므로 참이 되어 true로 출력되었습니다. ===는 주솟값이라는 것을 비교합니다.

주솟값 이란, 그 데이터가 저장되어 있던 메모리의 위치를 말합니다.

<는 'b가 a보다 큰가?'라는 뜻을 가집니다. 5<8은 참이기 때문에 true가 출력되었습니다. <=는 'b가 a와 같거나 큰가?'라는 뜻으로 8은 5보다 크므로 true로 출력되었습니다.

마지막으로 논리 연산자를 보겠습니다. 논리 연산자 또한 비교 연산자와 마찬가지로 오로지 참과 거짓, true와 false만을 출력합니다. 논리 연산자의 종류는 &&, ||, !가 있습니다. 이번에는 예제를 먼저 보겠습니다.

논리 연산자

예제 (MainActivity.kt)

```
package com.example.firstproject

import androidx.appcompat.app.AppCompatActivity
import android.os.Bundle

class MainActivity : AppCompatActivity() {
```

```
    override fun onCreate(savedInstanceState: Bundle?) {
        super.onCreate(savedInstanceState)
        setContentView(R.layout.activity_main)

        println(true&&false)
        println(true||false)
        println(!false)

    }
}
```

이번 예제는 별것 없어 보입니다. 이전에는 설명을 하지 않았었지만, true와 false는 따로 선언하지 않아도 존재하는 자료형이므로 사용이 가능합니다. 그러면 하나씩 살펴보겠습니다.

&&는 and라는 이름이 붙은 연산자로, 하나의 값이라도 false라면 false로 출력합니다. ||는 or라는 이름이 붙은 연산자로, and와 달리 하나의 값이라도 true라면 true를 출력합니다.

마지막으로 !는 not이라는 이름이 붙은 연산자로 참, 거짓을 반대로 바꾸는 자료형입니다. 간단하게 생각해서 false는 true로, true는 false로 출력합니다. not 연산자는 위에서 배운 비교 연산자와 조합을 하여 사용한 셈입니다.

CHAPTER 3

실전
안드로이드 프로그래밍

챕터 3-1. 버튼 클릭 감지

이제 드디어 고리타분한 이론 설명은 끝났습니다. 앞으로는 이론이 있다고 하더라도 정말 짧게만 설명하고 넘어갈 것입니다. 이번 챕터에서는 실제로 앱을 만들기 위해서 알아두어야 할 것들을 알아봅시다.

이번에는 버튼 클릭을 감지하는 것을 알아보겠습니다. 다음은activity_main.xml의 코드입니다.

예제 (activity_main.xml)

```
<?xml version="1.0" encoding="utf-8"?>
<LinearLayout
    xmlns:android="http://schemas.android.com/apk/res/android"
    xmlns:app="http://schemas.android.com/apk/res-auto"
    xmlns:tools="http://schemas.android.com/tools"
    android:layout_width="match_parent"
    android:layout_height="match_parent"
    tools:context=".MainActivity">

    <Button
        android:id="@+id/Button"
        android:text="버튼"
        android:layout_width="wrap_content"
        android:layout_height="wrap_content"/>

</LinearLayout>
```

본래 ConstraintLayout을 사용했다면 버튼의 코드는 빨간색 줄이 뜨며 오류가 떴어야 했습니다. 하지만 지금은 그렇지 않습니다. 왜일까요?

그 이유는 레이아웃이 다르기 때문입니다. 앞서 함수 챕터에서 레이아웃에 대해 짧게 설명했었습니다.

지금 쓰인 레이아웃은 LinearLayout으로, 가로, 세로로 정렬해 주는 아주 간단하면서도 도움이 되는 레이아웃입니다. 아무튼 ConstrainLayout 과는 다른 방식으로 위젯을 정렬하기 때문에 오류가 발생하지 않습니다.

이제 버튼 클릭을 감지하는 방법들을 알아봅시다. MainActivity.kt 파일을 열고 다음과 같이 코드를 수정해 봅시다.

예제 (MainActivity.kt)

```
package com.example.firstproject

import androidx.appcompat.app.AppCompatActivity
import android.os.Bundle
import android.widget.Button

class MainActivity : AppCompatActivity() {

    override fun onCreate(savedInstanceState: Bundle?) {
        super.onCreate(savedInstanceState)
        setContentView(R.layout.activity_main)

        findViewById<Button>(R.id.Button).setOnClickListener {
            println("버튼 클릭 감지!")
        }
    }
}
```

이 코드는 앞서 함수에서 사용했던 버튼 클릭 감지 코드죠? 특정 버튼의 id를 찾아서 클릭을 감지하는 방식입니다. 하지만 이 코드는 잘 쓰이지 않습니다.

왜냐하면 첫 번째로 보기 썩 좋지 않은 형태이고, 두 번째로는 느리다는 것입니다. 그래서 대부분은 뷰 바인딩이라는 방식을 사용합니다. 하지만 뷰 바인딩을 사용하기 위해서는 약간의 설정을 해야 합니다.

Gradle Scripts 폴더에서 Build.gradle.kts 파일을 열어줍니다.

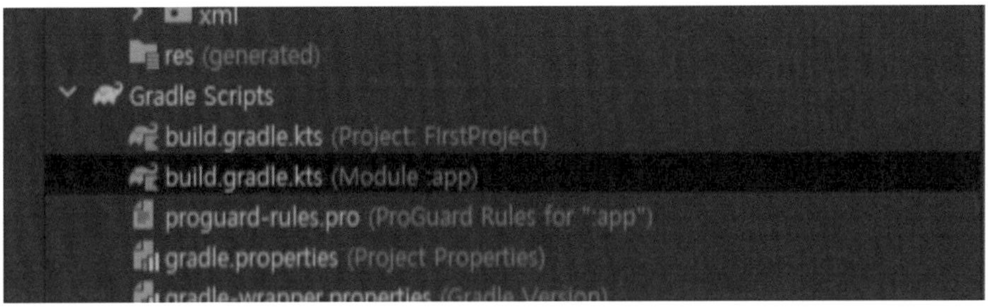

```
> xml
res (generated)
Gradle Scripts
build.gradle.kts (Project: FirstProject)
build.gradle.kts (Module :app)
proguard-rules.pro (ProGuard Rules for ":app")
gradle.properties (Project Properties)
gradle-wrapper.properties (Gradle Version)
```

이 파일은 안드로이드 스튜디오의 설정 파일 비슷한 것인데요.

```
plugins { this: PluginDependenciesSpecScope
    id("com.android.application")
    id("org.jetbrains.kotlin.android")
}

android { this: BaseAppModuleExtension
    namespace = "com.example.firstproject"
    compileSdk = 34


    defaultConfig { this: ApplicationDefaultConfig
        applicationId = "com.example.firstproject"
        minSdk = 26
        targetSdk = 33
        versionCode = 1
        versionName = "1.0"

        testInstrumentationRunner = "androidx.test.runner.AndroidJUnitRunner"
    }

    buildTypes { this: NamedDomainObjectContainer<ApplicationBuildType>
        release { this: ApplicationBuildType
            isMinifyEnabled = false
            proguardFiles(
                getDefaultProguardFile( name: "proguard-android-optimize.txt"),
                "proguard-rules.pro"
            )
        }
    }
    compileOptions { this: CompileOptions
```

이 코드에 다음과 같은 코드를 추가해 줍니다.

예시

buildFeatures {
    viewBinding = true
}

```
plugins { this: PluginDependenciesSpecScope
    id("com.android.application")
    id("org.jetbrains.kotlin.android")
}

android { this: BaseAppModuleExtension
    namespace = "com.example.firstproject"
    compileSdk = 34

    buildFeatures { this: ApplicationBuildFeatures
        viewBinding = true
    }

    defaultConfig { this: ApplicationDefaultConfig
        applicationId = "com.example.firstproject"
        minSdk = 26
        targetSdk = 33
        versionCode = 1
        versionName = "1.0"

        testInstrumentationRunner = "androidx.test.runner.AndroidJUnitRunner"
    }

    buildTypes { this: NamedDomainObjectContainer<ApplicationBuildType>
        release { this: ApplicationBuildType
            isMinifyEnabled = false
            proguardFiles(
                getDefaultProguardFile( name: "proguard-android-optimize.txt"),
                "proguard-rules.pro"
            )
        }
    }
    compileOptions { this: CompileOptions
```

수정을 완료했다면 Sync Now를 클릭해 줍니다.

```
Gradle files have changed since last project sync. A project sync may be necessary for the IDE to wo. Sync Now   Ignore these changes
1   plugins { this: PluginDependenciesSpecScope
```

그다음 다시 MainActivity.kt 파일을 열고 코드를 다음과 같이 편집해 줍니다.

예제 (MainActivity.kt)

```
package com.example.firstproject

import androidx.appcompat.app.AppCompatActivity
import android.os.Bundle
import android.widget.Button
import com.example.firstproject.databinding.ActivityMainBinding

class MainActivity : AppCompatActivity() {

    private lateinit var binding: ActivityMainBinding

    override fun onCreate(savedInstanceState: Bundle?) {
        super.onCreate(savedInstanceState)
        setContentView(R.layout.activity_main)

        binding = ActivityMainBinding.inflate(layoutInflater)
        setContentView(binding.root)

    }
}
```

이렇게 하면 기본 설정을 끝났습니다.
private lateinit var binding: ActivityMainBinding에서 Binding은 나름의 규칙이 있습니다. 예를 들어 FirstActivity라는 액티비티가 있다면 이 액티비티의 Binding은 ActivityFirstBinding이 됩니다.
이제 한번 설정도 다 했으니 버튼 클릭이 잘 감지되는지 확인해 볼까요?

I 버튼 클릭 감지

버튼을 누르면 잘 출력이 되는 것을 볼 수 있습니다. 아까와는 달리 버튼 클릭을 감지하는 코드 자체는 짧아졌습니다. 심지어 findViewByid 보다 속도도 더 빠릅니다. 그냥 이렇게 코드와 로그만 보기에는 재미가 없으니, 화면에 있는 글자를 바꿀 수 있게 한번 만들어 봅시다. activity_main.xml 파일의 코드를 다음과 같이 수정해 봅시다.

예제 (activity_main.xml)

```
<?xml version="1.0" encoding="utf-8"?>
<LinearLayout
    xmlns:android="http://schemas.android.com/apk/res/android"
    xmlns:app="http://schemas.android.com/apk/res-auto"
    xmlns:tools="http://schemas.android.com/tools"
    android:layout_width="match_parent"
    android:layout_height="match_parent"
    android:orientation="vertical"
    tools:context=".MainActivity">
    <Button
        android:id="@+id/Button1"
        android:text="1번 버튼"
        android:layout_gravity="center"
        android:layout_width="wrap_content"
        android:layout_height="wrap_content"/>
    <Button
        android:id="@+id/Button1"
        android:text="1번 버튼"
        android:layout_gravity="center"
        android:layout_width="wrap_content"
        android:layout_height="wrap_content"/>
    <Button
        android:id="@+id/Button1"
        android:text="1번 버튼"
        android:layout_gravity="center"
        android:layout_width="wrap_content"
        android:layout_height="wrap_content"/>
    <Button
        android:id="@+id/Button2"
        android:text="2번 버튼"
```

```
            android:layout_gravity="center"
            android:layout_width="wrap_content"
            android:layout_height="wrap_content"/>
        <TextView
            android:layout_width="wrap_content"
            android:layout_height="wrap_content"
            android:text="1번 텍스트"
            android:textColor="@color/black"
            android:textSize="30sp"
            android:layout_gravity="center"/>
</LinearLayout>
```

처음 보는 코드가 몇 줄 있습니다. LinearLayout 속성에 있는 orientation은 두 유형을 가지고 있습니다. vertical 속성은 세로 정렬, horizontal은 가로 정렬입니다. 그리고 layout_gravity는 레이아웃 측, 위젯을 부모의 가운데를 맞춰 정렬하게 되는 속성입니다. 이처럼 LinearLayout은 초보자들이 사용하기에 상당히 좋은 레이아웃입니다.

MainActivity.kt 파일을 수정해 볼까요? 이번에는 약간 다르게 바인딩을 사용해 보겠습니다.

예제 (MainActivity.kt)

```
package com.example.firstproject

import androidx.appcompat.app.AppCompatActivity
import android.os.Bundle
import
com.example.firstproject.databinding.ActivityMainBinding

class MainActivity : AppCompatActivity() {

    private lateinit var binding: ActivityMainBinding

    override fun onCreate(savedInstanceState: Bundle?) {
```

```
        super.onCreate(savedInstanceState)
        setContentView(R.layout.activity_main)

        binding = ActivityMainBinding.inflate(layoutInflater)
        setContentView(binding.root)

        val button1 = binding.Button1
        val button2 = binding.Button2
        val text = binding.Text1

        button1.setOnClickListener {
            text.text = "1번 텍스트"
        }
        button2.setOnClickListener {
            text.text = "2번 텍스트"
        }
    }
}
```

이렇게 변수로 선언하여 사용할 수도 있습니다. 실은 이렇게 간단하게 텍스트의 내용을 변경하는 것이라면 다른 방법으로도 만들 수 있습니다.

예를 들면 변수로 따로 선언하지 않고 위와 똑같이 작동되게 하나를 만들어 보라고 한다면 저는 다음과 같이 만들 수도 있으리라 생각합니다.

예시

```
package com.example.firstproject

import androidx.appcompat.app.AppCompatActivity
import android.os.Bundle
import com.example.firstproject.databinding.ActivityMainBinding

class MainActivity : AppCompatActivity() {
```

```
    private lateinit var binding: ActivityMainBinding

    override fun onCreate(savedInstanceState: Bundle?) {
        super.onCreate(savedInstanceState)
        setContentView(R.layout.activity_main)

        binding = ActivityMainBinding.inflate(layoutInflater)
        setContentView(binding.root)

        binding.Button1.setOnClickListener {
            binding.Text1.text = "1번 텍스트"
        }
        binding.Button2.setOnClickListener {
            binding.Text1.text = "2번 텍스트"
        }
    }
}
```

변수를 선언하지 않고 만들었을 때의 코드입니다. 이 코드가 더 보기 좋다는 분들이 있을 수도 있습니다. 이런 간단한 것들은 어떻게 만들든지 상관은 없다고 생각합니다. 단지 이런 방법들도 있구나~ 하시고 넘어가면 되지 않을까 싶네요.

이렇게 이번 장에서는 버튼 클릭을 감지하는 방법에 대해 알아보았습니다.

챕터 3-2. 화면 이동과 데이터 전송

어떤 것을 개발할 때는 무조건 있을 수밖에 없는 것이 있습니다. 바로 데이터인데요, 여러분은 데이터가 무엇이라 생각하나요? 데이터란 간단히 말하면 정보입니다. 게임을 만들 때나, 인터넷 홈페이지를 만들거나, 앱을 만들 때도 데이터는 사용됩니다.

우리에게 친숙한 게임을 생각해 봅시다. 게임에 따라서 현재 진행 상황이 저장되는 게임과, 저장이라는 개념이 없는 게임도 있습니다. 이때, 게임의 상황이 저장되는 게임도 2가지로 분류됩니다.

첫째로는 게임을 지운 후에 다시 게임을 깔았을 때 처음부터 다시 해야 하는 게임이 있고, 둘째로는 게임을 지운 후에 다시 깔아도 처음부터 다시 하지 않고 지웠을 때의 시점 그대로 진행이 가능한 게임이 있습니다.

첫 번째 게임은 데이터, 정보가 프로그램에 저장이 되는 경우이고 두 번째 게임은 정보가 게임을 만든 회사의 서버에 직접 저장이 되는 경우입니다. 이처럼 데이터는 잠깐 있다가 사라질 때도 있고, 계속해서 보관이 가능한 데이터가 있습니다.

이번에는 이 데이터를 전송하는 방법을 알아보고, 실제 사용되는 앱처럼 화면 이동을 할 수 있게 만드는 방법을 알아봅시다.

드디어 여러분이 만들고 사용하지 않았던 FirstActivity를 사용해 볼 겁니다. 저번 장에서 배웠던 버튼 클릭 감지를 활용해 앱을 만들어 보겠습니다.

예제 (activity_main.xml)

```
<?xml version="1.0" encoding="utf-8"?>
<LinearLayout
    xmlns:android="http://schemas.android.com/apk/res/android"
    xmlns:app="http://schemas.android.com/apk/res-auto"
    xmlns:tools="http://schemas.android.com/tools"
```

```
    android:layout_width="match_parent"
    android:layout_height="match_parent"
    android:orientation="vertical"
    tools:context=".MainActivity">

    <Button
        android:id="@+id/Button"
        android:text="FirstActivity 이동 버튼"
        android:layout_gravity="center"
        android:layout_width="wrap_content"
        android:layout_height="wrap_content"/>
    <TextView
        android:layout_width="wrap_content"
        android:layout_height="wrap_content"
        android:text="현재 액티비티 : MainActivity"
        android:textColor="@color/black"
        android:textSize="30sp"
        android:layout_gravity="center"/>
</LinearLayout>
```

예제 (MainActivity.kt)

```
package com.example.firstproject

import android.content.Intent
import androidx.appcompat.app.AppCompatActivity
import android.os.Bundle
import com.example.firstproject.databinding.ActivityMainBinding

class MainActivity : AppCompatActivity() {

    private lateinit var binding: ActivityMainBinding

    override fun onCreate(savedInstanceState: Bundle?) {
```

```
        super.onCreate(savedInstanceState)
        setContentView(R.layout.activity_main)

        val intent = Intent(this, FirstActivity::class.java)

        binding = ActivityMainBinding.inflate(layoutInflater)
        setContentView(binding.root)

        binding.button.setOnClickListener {
            startActivity(intent)
        }
    }
}
```

예제 (activity_first.xml)

```
<?xml version="1.0" encoding="utf-8"?>
<LinearLayout xmlns:android="http://schemas.android.com/apk/res/android"
    xmlns:app="http://schemas.android.com/apk/res-auto"
    xmlns:tools="http://schemas.android.com/tools"
    android:layout_width="match_parent"
    android:layout_height="match_parent"
    android:orientation="vertical"
    tools:context=".FirstActivity">

    <Button
        android:id="@+id/button"
        android:text="MainActivity 이동 버튼"
        android:layout_gravity="center"
        android:layout_width="wrap_content"
        android:layout_height="wrap_content"/>
    <TextView
        android:layout_width="wrap_content"
```

```
        android:layout_height="wrap_content"
        android:text="현재 액티비티 : FirstActivity"
        android:textColor="@color/black"
        android:textSize="30sp"
        android:layout_gravity="center"/>

</LinearLayout>
```

예제 (FirstActivity.kt)

```
package com.example.firstproject

import android.content.Intent
import androidx.appcompat.app.AppCompatActivity
import android.os.Bundle
import com.example.firstproject.databinding.ActivityFirstBinding
import com.example.firstproject.databinding.ActivityMainBinding

class FirstActivity : AppCompatActivity() {

    private lateinit var binding: ActivityFirstBinding

    override fun onCreate(savedInstanceState: Bundle?) {
        super.onCreate(savedInstanceState)
        setContentView(R.layout.activity_first)

        val intent = Intent(this, MainActivity::class.java)

        binding = ActivityFirstBinding.inflate(layoutInflater)
        setContentView(binding.root)

        binding.button.setOnClickListener {
            startActivity(intent)
        }
```

```
    }
}
```

이렇게 모든 코드를 각 파일에 잘 작성했다면 실행하고 액티비티가 실행되는지 봅시다. 각 버튼을 누를 때마다 다른 화면으로 넘어가는 것을 볼 수 있습니다. 하지만 문제점이 한 가지 보입니다.
계속해서 화면을 바꾸다가 뒤로 가기를 누르면 앱이 종료되는 것이 아닌 이전 화면으로 가게 됩니다. 화면이 중첩되어 실행된다는 뜻이죠. 따라서 실제 핸드폰에서 앱을 종료하려면 뒤로 가기를 계속해서 누르거나 화면 전환을 할 때 사용하는 버튼을 눌러 종료시켜야 합니다.

이 점은 불편하기도 할뿐더러 핸드폰에서 앱이 실행될 때 성능에 문제를 줄 수 있습니다. 이런 현상을 막는 방법은 2가지가 있습니다. 첫 번째 방법은 버튼 클릭이 감지되었을 때 새로운 액티비티를 생성한 후에 자신을 바로 닫아버리는 방법입니다. 다음과 같이 코드를 수정해 줍니다.

예제 (MainActivity.kt)

```
package com.example.firstproject

import android.content.Intent
import androidx.appcompat.app.AppCompatActivity
import android.os.Bundle
import com.example.firstproject.databinding.ActivityMainBinding

class MainActivity : AppCompatActivity() {
    private lateinit var binding: ActivityMainBinding
    override fun onCreate(savedInstanceState: Bundle?) {
        super.onCreate(savedInstanceState)
        setContentView(R.layout.activity_main)

        val intent = Intent(this, FirstActivity::class.java)

        binding = ActivityMainBinding.inflate(layoutInflater)
        setContentView(binding.root)
```

```
        binding.button.setOnClickListener {
            startActivity(intent)
            finish()
        }
    }
}
```

예제 (FirstActivity.kt)

```
package com.example.firstproject

import android.content.Intent
import androidx.appcompat.app.AppCompatActivity
import android.os.Bundle
import com.example.firstproject.databinding.ActivityFirstBinding
import com.example.firstproject.databinding.ActivityMainBinding

class FirstActivity : AppCompatActivity() {

    private lateinit var binding: ActivityFirstBinding

    override fun onCreate(savedInstanceState: Bundle?) {
        super.onCreate(savedInstanceState)
        setContentView(R.layout.activity_first)

        val intent = Intent(this, MainActivity::class.java)

        binding = ActivityFirstBinding.inflate(layoutInflater)
        setContentView(binding.root)

        binding.button.setOnClickListener {
            startActivity(intent)
            finish()
        }
    }
```

```
}
```

코드를 수정했다면 한번 테스트해 봅시다. 어떻게 변경이 되었나요? 새로운 액티비티가 생성됨과 동시에 이전에 있던 액티비티를 삭제함으로써 액티비티가 중복으로 뜨지 않습니다.

그런데 만약에 MainActivity의 화면으로 갔어야만 했다면 어떨까요? 한 번 더 MainActivity로 가는 버튼을 눌러 이동했어야만 합니다. 그렇게 생각해 본다면 약간 불편할 수 있을 것 같습니다. 그러면 두 번째 방법은 어떨까요?

두 번째 방법은 AndroidManifest.xml 파일에서 중복되지 않는 것을 원하는 액티비티에 singleTask 속성을 부여하는 방법입니다.

단순하게 각 액티비티의 속성에 android:launchMode="singleTask" 속성을 부여해 주기만 하면 됩니다. finish()를 구문을 넣어 수정했었던 kt 파일(MainActivity.kt, FirstActivity.kt)은 다시 finish()를 제거해 주세요.

실행시키고 테스트를 했을 때 아까와는 다른 점을 눈치챘나요?

이번에는 FirstActivity 화면에서 뒤로 가기를 눌렀을 때 바로 앱이 종료되지 않고 MainActivity 화면으로 돌아갑니다. MainActivity 화면에 있을 때는 바로 종료되는군요.

어떤 방법을 쓰던 상관은 없습니다. 이 부분은 상황에 따라 맞게 선택하면 됩니다.

화면 이동은 이 정도면 충분히 설명한 것 같으니 이제 데이터 전송으로 넘어가 보겠습니다.

우선 .xml 파일을 편집해 줍니다.

예제 (AndroidManifest.xml)

```
<?xml version="1.0" encoding="utf-8"?>
<manifest xmlns:android="http://schemas.android.com/apk/res/android"
    xmlns:tools="http://schemas.android.com/tools">

    <application
        android:allowBackup="true"
        android:dataExtractionRules="@xml/data_extraction_rules"
        android:fullBackupContent="@xml/backup_rules"
        android:icon="@mipmap/ic_launcher"
        android:label="@string/app_name"
        android:roundIcon="@mipmap/ic_launcher_round"
        android:supportsRtl="true"
        android:theme="@style/Theme.FIrstProject"
        tools:targetApi="31">
        <activity
            android:name=".MainActivity"
            android:launchMode="singleTask"
            android:exported="true">
            <intent-filter>
                <action android:name="android.intent.action.MAIN" />
                <category
 android:name="android.intent.category.LAUNCHER" />
            </intent-filter>
        </activity>
    </application>
</manifest>
```

예제 (activity_main.xml)

```
<?xml version="1.0" encoding="utf-8"?>
<LinearLayout
    xmlns:android="http://schemas.android.com/apk/res/android"
    xmlns:app="http://schemas.android.com/apk/res-auto"
```

```
    xmlns:tools="http://schemas.android.com/tools"
    android:layout_width="match_parent"
    android:layout_height="match_parent"
    android:orientation="vertical"
    tools:context=".MainActivity">

    <Button
        android:id="@+id/button"
        android:text="데이터 전송 버튼"
        android:layout_gravity="center"
        android:layout_width="wrap_content"
        android:layout_height="wrap_content"/>
    <TextView
        android:layout_width="wrap_content"
        android:layout_height="wrap_content"
        android:text="현재 액티비티 : MainActivity"
        android:textColor="@color/black"
        android:textSize="30sp"
        android:layout_gravity="center"/>
    <EditText
        android:id="@+id/inputValue"
        android:hint="값 입력"
        android:textSize="20sp"
        android:layout_width="wrap_content"
        android:layout_height="wrap_content"
        android:layout_gravity="center"/>
</LinearLayout>
```

데이터를 전송하는 방법은 화면 이동을 했을 때 쓰인 intent를 사용하게 됩니다. MainActivity.kt 파일을 다음과 같이 수정해 줍니다.

예제 (MainActivity.kt)

```
package com.example.firstproject
```

```
import android.content.Intent
import androidx.appcompat.app.AppCompatActivity
import android.os.Bundle
import com.example.firstproject.databinding.ActivityMainBinding

class MainActivity : AppCompatActivity() {

    private lateinit var binding: ActivityMainBinding

    override fun onCreate(savedInstanceState: Bundle?) {
        super.onCreate(savedInstanceState)
        setContentView(R.layout.activity_main)

        val intent = Intent(this, FirstActivity::class.java)

        binding = ActivityMainBinding.inflate(layoutInflater)
        setContentView(binding.root)

        binding.button.setOnClickListener {
            var a = binding.inputValue.text.toString()
            intent.putExtra("a", a)
            startActivity(intent)
        }
    }
}
```

잠시 설명을 해보겠습니다. 데이터를 전송하기 위해서는 putExtra에 두 가지의 값을 넣어야 합니다. 첫 번째 큰따옴표로 쌓인 부분은 키(key), 열쇠라고 부릅니다.

데이터 전송을 완료한 것을 가지고 오기 위해서는 열쇠가 필요하기 때문이라고 생각하면 될 것 같습니다. 두 번째의 값은 변수 a를 말합니다. 여기서 변수 a는 EditText에 입력한 값을 말합니다.

그런데 왜 변수 a를 클릭했을 때 선언하게 했을까요?

그 이유는 버튼이 클릭 될 때마다 텍스트에 있는 값을 다시 받아와야 하기 때문입니다. 아무튼 intent.putExtra("a", a)는 'a라는 이름의 열쇠에 a라는 값을 넣는다'라는 뜻이 됩니다.

거기에 intent에는 FirstActivity가 넣어졌으니 FirstActivity에 전달한다는 이야기가 됩니다. 그러면 이제 데이터 전송까지는 완료했는데, 이 전송받은 데이터는 어떻게 사용해야 할까요?

이 부분은 FirstActivity에서 받아야 합니다.

예제(activity_first.xml)

```
<?xml version="1.0"encoding="utf-8"?>
<LinearLayoutxmlns:android="http://schemas.android.com/apk/res/android"
    xmlns:app="http://schemas.android.com/apk/res-auto"
    xmlns:tools="http://schemas.android.com/tools"
    android:layout_width="match_parent"
    android:layout_height="match_parent"
    android:orientation="vertical"
    tools:context=".FirstActivity">

    <Button
        android:id="@+id/button"
        android:text="MainActivity 이동 버튼"
        android:layout_gravity="center"
        android:layout_width="wrap_content"
        android:layout_height="wrap_content"/>
    <TextView
        android:layout_width="wrap_content"
        android:layout_height="wrap_content"
        android:text="현재 액티비티 : FirstActivity"
        android:textColor="@color/black"
        android:textSize="30sp"
        android:layout_gravity="center"/>
    <TextView
        android:id="@+id/dataInfo"
        android:textSize="20sp"
        android:text="텍스트"
        android:layout_gravity="center"
        android:layout_width="wrap_content"
        android:layout_height="wrap_content"/>

</LinearLayout>
```

예제(FirstActivity.kt)

```
package com.example.firstproject

import android.content.Intent
import androidx.appcompat.app.AppCompatActivity
import android.os.Bundle
import com.example.firstproject.databinding.ActivityFirstBinding

class FirstActivity : AppCompatActivity() {

    private lateinit var binding: ActivityFirstBinding
    override fun onCreate(savedInstanceState: Bundle?) {
        super.onCreate(savedInstanceState)
        setContentView(R.layout.activity_first)
        binding = ActivityFirstBinding.inflate(layoutInflater)
        setContentView(binding.root)

        val dataInfo = intent.getStringExtra("a")
        binding.dataInfo.text = dataInfo
        binding.button.setOnClickListener {
            val intent = Intent(this, MainActivity::class.java)
            startActivity(intent)
        }
    }
}
```

여기서 데이터를 받는 코드는 어떤 부분이라 생각하나요?
정답은 val dataInfo = intent.getStringExtra("a")입니다. 변수 dataInfo를 선언해 주고 StringExtra 즉, 문자열을 받아옵니다.

이때 받아오는 값의 키는 a라는 것을 알려줍니다. 마지막으로 dataInfo의 값을 텍스트에 넣어줍니다. 여기까지 다 코드를 수정했다면 EditText에 쓰고 싶은 말을 넣고 데이터 전송 버튼을 눌러봅시다.

자신이 적은 말이 FirstActivity에 잘 나타난다면 이번 챕터를 끝낸 것입니다.

챕터 3-3. 위젯 표시 여부

사용자의 화면을 컨트롤하는 것은 매우 중요합니다. 따라서 이번 장에서는 화면에 있는 뷰 또는 위젯의 표시 여부를 설정하는 방법을 알아보겠습니다. 속성 이름은 visibility로, 뷰의 표시 형태는 총 3가지가 있습니다.

visible : 뷰가 표시되고 있는 상태, 모든 뷰의 기본값은 visible
invisible : 자리를 차지하고는 있지만, 뷰가 보이지는 않는 상태
gone : 자리를 차지하지 않고 뷰가 보이지도 않는 상태

이제 한번 visibility를 사용해 보겠습니다.

예제 (activity_first.xml)

```
<?xml version="1.0" encoding="utf-8"?>
<LinearLayout
    xmlns:android="http://schemas.android.com/apk/res/android"
    xmlns:app="http://schemas.android.com/apk/res-auto"
    xmlns:tools="http://schemas.android.com/tools"
    android:layout_width="match_parent"
    android:layout_height="match_parent"
    android:orientation="vertical"
    tools:context=".FirstActivity">
    <Button
        android:id="@+id/button"
        android:text="MainActivity 이동 버튼"
        android:layout_gravity="center"
        android:layout_width="wrap_content"
        android:layout_height="wrap_content"/>
    <TextView
        android:layout_width="wrap_content"
        android:layout_height="wrap_content"
        android:text="현재 액티비티 : FirstActivity"
        android:textColor="@color/black"
        android:textSize="30sp"
        android:layout_gravity="center"/>
    <Button
```

```
        android:id="@+id/button1"
        android:layout_gravity="center"
        android:text="텍스트 숨기기"
        android:layout_width="wrap_content"
        android:layout_height="wrap_content"/>
    <TextView
        android:id="@+id/dataInfo"
        android:textSize="20sp"
        android:text="텍스트"
        android:layout_gravity="center"
        android:layout_width="wrap_content"
        android:layout_height="wrap_content"/>

</LinearLayout>
```

예제 (FirstActivity.kt)

```
package com.example.firstproject

import android.content.Intent
import androidx.appcompat.app.AppCompatActivity
import android.os.Bundle
import android.view.View
import com.example.firstproject.databinding.ActivityFirstBinding

class FirstActivity : AppCompatActivity() {

    private lateinit var binding: ActivityFirstBinding

    override fun onCreate(savedInstanceState: Bundle?) {
        super.onCreate(savedInstanceState)
        setContentView(R.layout.activity_first)

        binding = ActivityFirstBinding.inflate(layoutInflater)
```

```
        setContentView(binding.root)

        val dataInfo = intent.getStringExtra("a")
        binding.dataInfo.text = dataInfo

        var clickEvent = 0

        binding.button.setOnClickListener {
            val intent = Intent(this, MainActivity::class.java)
            startActivity(intent)
        }
        binding.button1.setOnClickListener {

            clickEvent++

            if (clickEvent == 1) {
                binding.dataInfo.visibility = View.INVISIBLE
            }
            else {
                println(clickEvent)
                binding.dataInfo.visibility = View.VISIBLE
                clickEvent = clickEvent - 2
            }
        }
    }
}
```

이렇게 코드를 수정하고 실행시켜 FirstActivity에서 테스트해 보면 dataInfo 텍스트가 보였다가 안 보였다 하게 되는 것을 만들 수 있습니다. 한 가지 알아두어야 할 것은 지금은 위젯만을 다루었지만, 뷰(View)라는 것은 위젯과 레이아웃까지 포함하므로 레이아웃 또한 마찬가지로 숨겼다가 보여줄 수 있다는 점입니다.

이를 잘 이용하면 사용자들에게 재미있는 것들을 보여줄 수 있겠죠?

마지막으로 invisible과 gone의 차이점을 알아보겠습니다.

예제 (FirstActivity.kt)

```
package com.example.firstproject

import android.content.Intent
import androidx.appcompat.app.AppCompatActivity
import android.os.Bundle
import android.view.View
import com.example.firstproject.databinding.ActivityFirstBinding

class FirstActivity : AppCompatActivity() {

    private lateinit var binding: ActivityFirstBinding

    override fun onCreate(savedInstanceState: Bundle?) {
        super.onCreate(savedInstanceState)
        setContentView(R.layout.activity_first)
        binding = ActivityFirstBinding.inflate(layoutInflater)
        setContentView(binding.root)

        val dataInfo = intent.getStringExtra("a")
        binding.dataInfo.text = dataInfo

        var clickEvent = 0

        binding.button.setOnClickListener {
            val intent = Intent(this, MainActivity::class.java)
            startActivity(intent)
        }
        binding.button1.setOnClickListener {

            clickEvent++

            if (clickEvent == 1) {
```

```
                binding.dataInfo.visibility = View.GONE
            }
            else {
                println(clickEvent)
                binding.dataInfo.visibility = View.VISIBLE
                clickEvent = clickEvent - 2
            }
        }
    }
}
```

FirstActivity.kt 파일에서 표시 여부를 GONE에서 INVISIBLE로 수정해 보면서 무엇이 다른지 알아보세요.

챕터 3-4. 일차방정식 계산기 만들기

중학생 1학년 때는 다양한 도형의 넓이나 부피, 겉넓이를 구하는 방법을 배웁니다. 이 책의 4챕터에서는 그것들을 구하는 방법을 알아보며 코틀린을 통해 계산기를 만들어 보게 될 것입니다. 하지만 이번 챕터의 마지막은 도형이 아니라, '일차방정식' 계산기를 만들어 보겠습니다.

중학교 1학년부터는 문자라는 것을 함께 배웁니다. 아마 초등학생 때는 □라는 것으로 조금만 배우고 넘어갔을 부분이죠. 이 책의 앞부분에서 약간 익숙하게 봤던 설명 아닌가요? 변수를 설명할 때도 같은 설명을 했었습니다. 하지만 다시 앞장을 보기 귀찮을 수 있으니 요약해서 설명해 보자면

x라는 문자가 있고, 그 x의 값이 3이라면 x = 3이다.
따라서 2 + x = 5라는 식이 성립한다.
여기에서 x는 언제나 값이 변할 수 있는 변수이다.

이 정도만 해도 변수를 이해하는 데에는 전혀 지장이 없죠. 문자는 변수가 될 수 있습니다. 앞에서는 다루지 않았던 것이 하나 있습니다. 바로 문자가 포함된 곱셈, 나눗셈입니다. x가 7이라고 했을 때 3을 곱한다면 x * 3이 됩니다. 그런데 수학에서는 이렇게 표현한다면 식이 길어집니다. 예를 들자면 x * 2 + x * 9이란 식이 있고 x의 값이 7이라면 답은 77이 됩니다. 이 식보다 조금 더 긴 것을 봅시다.

x * 3 + 7 * x - 4 * 8

계산해 볼까요? x의 값은 7입니다. 이 식의 답은 38이었습니다.

따라서 수학에서는 이렇게 숫자와 문자가 곱해지는 상황일 때 줄여서 곱셈인 것을 표현합니다. x * 5 = 5x 이렇게 말이죠. 3 * x * 5일 때는 어떻게 할까요? 일단, 3x * 5 이렇게 줄일 수 있습니다. 그런 다음에는 5를 곱하여 15x로 표현할 수 있습니다. 왜 15x가 나왔는지 이해가 되지 않았을 수 있으니 자세하게 설명해 보겠습니다.

일단 2 * 3 * 4라는 곱셈식이 있습니다. 곱셈식에는 특이한 점이 한 가지 있는데, 어느 쪽을 먼저 곱해도 결괏값은 같다는 것입니다. 2 * 3을 먼저 계산하고 곱하기 4를 했을 때의 결괏값은 24, 3 * 4를 먼저 계산하고 곱하기 2를 해도 24입니다. 심지어는 2 * 4를 하고 곱하기 3을 해도 24이죠. 이렇게 곱셈의 순서를 바꾸어도 값이 변하지 않습니다. 이를 곱셈의 교환법칙이라 부릅니다.

그러면 마지막으로 차수는 뭘까요? 차수는 문자가 몇 번이 곱해져 있는가입니다. 예를 들어 x와 y라는 문자가 있을 때 x^2y^3의 차수의 합은 5입니다. 차수는 문자의 종류와 상관없이 문자가 얼마나 곱해져 있는지를 나타내는 것입니다.

그런데, 중학교 1학년에 들어가면 제곱이라는 것을 먼저 배웁니다. 제곱이란, 같은 수를 한 번 더 곱하는 행위를 말합니다. 2의 제곱이라 하면, $2 * 2 = 2^2$로 나타낼 수 있죠. 그리고 이 2위에 있는 작은 수 ^{2}를 지수라고 부릅니다. 지수와 차수가 다른 것은 무엇일까요?

설명했듯이, 차수는 문자의 종류에 상관이 없지만, 지수는 특정한 숫자나 문자를 의미합니다. 지수와 차수는 다르다는 것을 기억해 주세요.

자, 그러면 드디어 본론으로 돌아와서 최대 차수가 1인 방정식을 일차방정식이라고 부르는 것까지는 알겠습니다. 그러면 방정식은 뭘까요? 방정식은 어떤 식에 문자가 포함이 되어있다면 그냥 그것이 방정식입니다. 2 + x = 8 이런 것도 방정식이란 것이죠.

최대 차수가 1이다. 이 말은 간단합니다. 숫자나 문자 위에 아무런 것도 없으면 그것은 차수가 1인 것입니다.
왜냐하면 차수는 몇 번이 곱해져 있는 것인지를 보는 것인데, 만일 9의 차수가 0이라면 9 * 0과 다르지 않기 때문에 9 = 0이라는 말도 안 되는 식을 가지게 됩니다. 그래서 수학에서는 수 위에 아무것도 있지 않은 차수를 기본적으로 1로 정했습니다.

이제 대강 일차방정식을 이해했습니다. 그러면 이 일차방정식으로 우리는 무엇을 알 수 있을까요? 바로 x의 값을 구할 수 있습니다.

"와, 내가 지금까지 읽은 이 글이 그냥 겨우 x 하나 구하려고 읽은 거였다고?"
너무 길어 지루했다면 죄송합니다.

하지만 이 점들을 알아야 이해할 수 있다고 생각했습니다. 아무튼, 일차방정식의 문자 값을 알아내는 행동을 '해를 구한다.'라고 합니다. 일단은 간단하게 일차방정식 하나를 보겠습니다. 8 + x = 15 어떻게 풀까요?

이를 중학교에 들어서면 이렇게 배웁니다. 원래 초등학생 때 배웠던 0보다 작은 수는 없다는 이야기는 어디로 가고 갑자기, 마이너스라는 존재가 툭 튀어나옵니다. 이 마이너스는 -라는 기호를 사용하고 0보다 더 작다는 특징이 있습니다.

이 일차방정식을 풀기 위해서는 한 가지 작업이 필요합니다. 바로 x = 15 - 8 이런 식으로 만들어 주는 작업입니다. 그러면 15 - 8은 얼마죠? 7입니다. 따라서 x = 7이라는 식이 생겨나는데, 이 x를 대입한다면 8 + 7 = 15라는 식이 됩니다. 그리고 이 식은 맞는 식이죠. 따라서 이는 잘 푼 식입니다. 참고로, 일차방정식은 (일차식) = 0의 꼴로 나타낼 수 있어야 합니다.

이 일차방정식을 푼다는 행위를 다른 문제로 다시 이해해 보겠습니다. 3x + 7 = 58이라는 식이 있습니다. 이 식을 풀기 위해서는 크게 2가지의 작업이 필요합니다. 방정식은 좌항과 우항으로 나뉘는데, 말 그대로 왼쪽에 있는 항을 좌항, 오른쪽에 있는 항을 우항이라 부릅니다. 방정식을 풀기 위해서는 한 항에는 x에 대한 항만, 다른 한쪽 항에는 상수항(문자가 곱해지지 않은 항)만을 두어야 합니다. 이때, 다른 항으로 넘어가게 만드는 것을 '이항한다'라고 합니다. 그리고 이항을 한 식에는 마이너스를 곱해줍니다. 이제 위 문제에 이 첫 번째 작업을 진행해 보겠습니다.

3x + 7 = 58이라는 식은 3x = 58 - 7로 변형시킬 수 있습니다. 58 - 7의 값은 얼마인가요? 네. 51입니다. 그러면 이 식은 3x = 51로 정리할 수 있습니다. 마지막으로 해야 하는 작업은 x에 있는 계수(x가 몇 번 곱해져 있는지 보여주는 수)만큼 모든 항을 나눠야 합니다. 왜냐하면 일차방정식을 푼다는 것은 x = (값) 이런 형태로 나와야 하기 때문입니다. 그

러면 3x = 51에서 x의 계수는? 3입니다. 따라서 모든 항에 3을 나누어 주면 x = 17이라는 해가 나옵니다. 이 해가 정답인지를 확인해 보려면 x에 17을 대입해 보면 됩니다.

본래 일차방정식의 형태였던 3x + 7 = 58에 x의 값을 17로 정하면 51 + 7 = 58이라는 식이 나오게 되고 최종적으로 58 = 58이라는 식이 나오게 됩니다. 이렇게 나온 경우는 해가 알맞게 나왔다는 뜻입니다.

이것으로 이제 일차방정식에 대한 설명은 모두 끝났습니다. 자신이 어떤 앱을 만들기 이전에 미리 작동 방식을 설계해 두면 개발할 때 도움이 됩니다. 그러면 우선 앱이 어떤 방식으로 동작하게 만들지 한번 그림으로 그려보겠습니다.

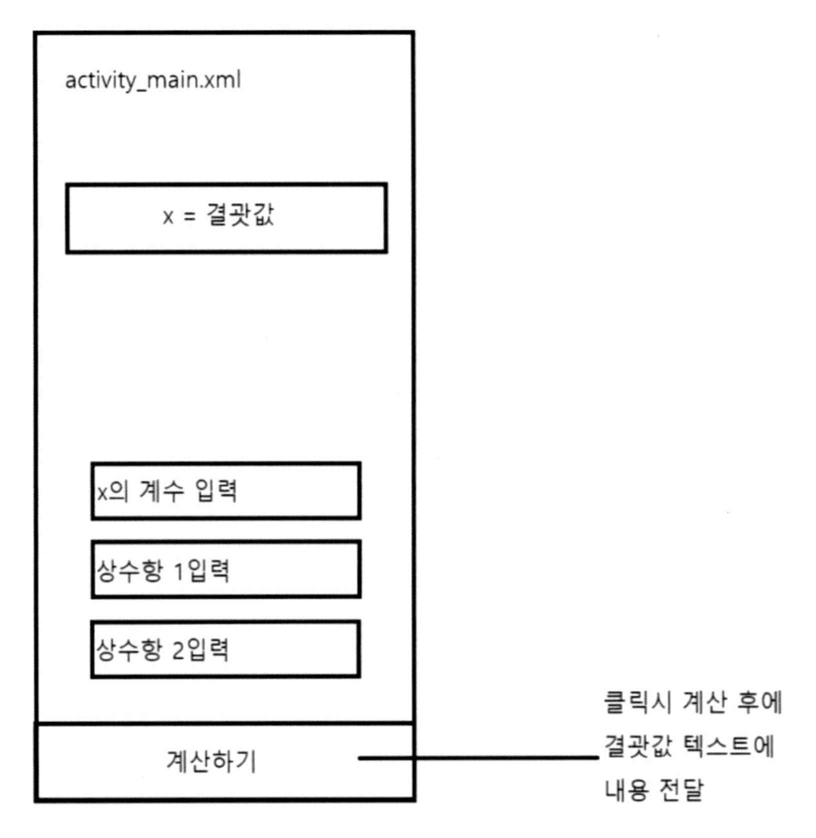

이렇게 한번 만들어 보겠습니다. 여러 가지 방법으로 만들 수 있겠지만 저는 비교적 간단한 방법으로 만들고 싶기 때문이죠. 심지어는 지금은 입

력받는 칸을 딱 3개, 즉 일차방정식의 기본 형태로만 입력을 받지만 일차 방정식의 길이는 얼마든지 길어질 수 있습니다. 하지만 그렇게 한다면 코드가 길어지고, 이해하기 어려워질 수 있으므로 이 책에서는 간단하게 만들어 보겠습니다.

자, 그러면 xml에서 UI를 먼저 만들어 보도록 합시다.
activity_main.xml 파일을 열고 다음과 같이 코드를 편집해 줍니다.

예제 (activity_main.xml)

```
<?xml version="1.0" encoding="utf-8"?>
<LinearLayout
    xmlns:android="http://schemas.android.com/apk/res/android"
    xmlns:app="http://schemas.android.com/apk/res-auto"
    xmlns:tools="http://schemas.android.com/tools"
    android:layout_width="match_parent"
    android:layout_height="match_parent"
    android:orientation="vertical"
    tools:context=".MainActivity">

    <LinearLayout
        android:orientation="vertical"
        android:layout_width="match_parent"
        android:layout_height="match_parent"
        android:layout_weight="1">

        <TextView
            android:id="@+id/value"
            android:layout_width="match_parent"
            android:layout_height="wrap_content"
            android:text="x = 결괏값"
            android:layout_marginTop="40dp"
            android:gravity="center"
            android:textSize="40sp"/>
        <EditText
```

```
            android:id="@+id/inputX"
            android:hint="x의 계수 입력"
            android:textSize="20sp"
            android:inputType="numberDecimal"
            android:layout_marginTop="20dp"
            android:layout_width="wrap_content"
            android:layout_height="wrap_content"
            android:layout_gravity="center"/>
        <EditText
            android:id="@+id/inputCon1"
            android:hint="좌측 상수항 입력"
            android:textSize="20sp"
            android:inputType="numberDecimal"
            android:layout_marginTop="20dp"
            android:layout_width="wrap_content"
            android:layout_height="wrap_content"
            android:layout_gravity="center"/>
        <EditText
            android:id="@+id/inputCon2"
            android:hint="우측 상수항 입력"
            android:textSize="20sp"
            android:inputType="numberDecimal"
            android:layout_marginTop="20dp"
            android:layout_width="wrap_content"
            android:layout_height="wrap_content"
            android:layout_gravity="center"/>
    </LinearLayout>

    <Button
        android:id="@+id/calculate"
        android:layout_width="match_parent"
        android:layout_height="wrap_content"
        android:text="계산하기" />
```

```
</LinearLayout>
```

margin 속성은 공백으로, 여기에서는 위쪽(Top)의 공백을 정하게 됩니다. 그리고 inputType 속성은 EditText에서 입력할 수 있는 문자를 정해주는 속성입니다.

실제로 보면 이렇게 나옵니다. 구상했었던 화면과는 약간 다른 면이 좀

있지만 이 정도만 해도 사용에는 무리가 없을 것 같네요. 그러면 이제 UI는 다 구현했으니, 명령을 수행하는. kt 파일을 편집해 봅시다.

예제 (MainActivity.kt)

```
package com.example.firstproject

import androidx.appcompat.app.AppCompatActivity
import android.os.Bundle
import com.example.firstproject.databinding.ActivityMainBinding

class MainActivity : AppCompatActivity() {

    private lateinit var binding: ActivityMainBinding

    override fun onCreate(savedInstanceState: Bundle?) {
        super.onCreate(savedInstanceState)
        setContentView(R.layout.activity_main)

        binding = ActivityMainBinding.inflate(layoutInflater)
        setContentView(binding.root)

        binding.calculate.setOnClickListener {
            var x = binding.inputX.text.toString().toInt()
            var leftCon = binding.inputCon1.text.toString().toInt()
            var rightCon = binding.inputCon2.text.toString().toInt()

            leftCon = leftCon * -1
            rightCon = leftCon + rightCon
            x = rightCon / x

            binding.value.text = ("x = " + x.toString())
        }
    }
}
```

이렇게 코드를 편집하고 실행시킨 다음, 각각의 텍스트 뷰에 값을 넣은 다음 계산하기를 누르게 되면 위에 있는 'X = 결괏값'이라는 텍스트가 x = (숫자)로 바뀌게 됩니다. 그 숫자가 그 방정식의 해입니다.

그런데 여러 방정식을 넣어보다 보면 가끔 소수나 분수가 나와야 하는 경우가 있습니다. 분수는 따로 표현하기 어려우니 소수로 대체해 주겠습니다.

예제 (MainActivity.kt)

```
package com.example.firstproject

import androidx.appcompat.app.AppCompatActivity
import android.os.Bundle
import com.example.firstproject.databinding.ActivityMainBinding

class MainActivity : AppCompatActivity() {

    private lateinit var binding: ActivityMainBinding

    override fun onCreate(savedInstanceState: Bundle?) {
        super.onCreate(savedInstanceState)
        setContentView(R.layout.activity_main)

        binding = ActivityMainBinding.inflate(layoutInflater)
        setContentView(binding.root)

        binding.calculate.setOnClickListener {
            var x = binding.inputX.text.toString().toDouble()
            var leftCon = binding.inputCon1.text.toString().toDouble()
            var rightCon = binding.inputCon2.text.toString().toDouble()

            leftCon = leftCon * -1
            rightCon = leftCon + rightCon
            x = rightCon / x

            binding.value.text = ("x = " + x.toString())
        }
    }
}
```

이렇게 코드를 수정해 줍시다. 간단하게 toInt를 toFloat으로 바꾸면 됩니다. 그리고 다시 실행해 주고 식을 입력하게 되면.

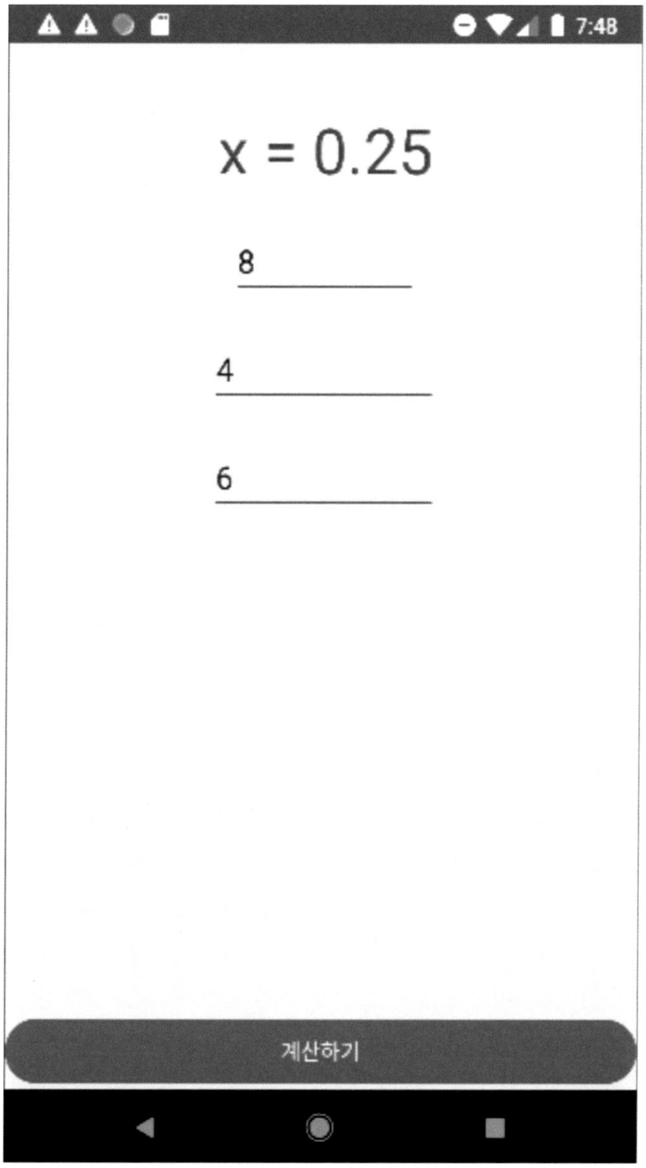

이런 식으로 소수로 값이 나오게 됩니다.

그러면 이제 코드를 분석해 봅시다. binding은 3챕터에서 설명했으니, 기억이 자세히 나지 않는다면 다시 봅시다.

일차방정식의 값을 구해내는 코드는 몇 줄 되지 않습니다. 정말 단순히 앞서 설명했던 일차방정식의 해를 구하는 것을 그대로 코드에 옮겨 적었을 뿐입니다. inputX라는 EditText에서 입력한 숫자를 문자열로 빼낸 이후에 소수로 바꾸고, leftCon라는 EditText에서 입력한 숫자를 똑같이 문자열로 빼고, 소수로 바꾸고, rightCon도 별다른 것이 없습니다.

이렇게 각각의 입력값을 변수로 정한 다음에 좌항에 있던 상수항을 우항으로 보낸다는 의미로 -1을 곱하고 그 후에 우항에 있던 상수항을 더합니다. 그리고 마지막으로 x의 계수만큼 상수항을 나누어 줍니다.

어때요? 어렵지 않죠? 이렇게 중학교 1학년 수학은 엄청나게 어렵지는 않습니다. 중학교 1학년 때 배우는 일차함수도 있지만 일차함수는 그래프를 그려야 하기 때문에 내용이 복잡하므로 이 책에서는 다루지 않습니다. 일차방정식 계산기 내용은 이것으로 끝이 났습니다.

다음 챕터에서는 프로젝트 형식으로 계산기 앱을 하나 만드는 것으로 마치겠습니다.

CHAPTER 4

계산기 만들기 프로젝트

챕터 4-1. 계산기 만들기 프로젝트

이제 직접 앱을 만들어 핸드폰에서도 쓸 수 있게 만들어 보겠습니다. 이 앱에서 사용될 수학 내용은 다음과 같습니다.

- ◆ 원의 둘레와 넓이
- ◆ 부채꼴의 호의 길이와 넓이
- ◆ 원뿔의 겉넓이와 부피
- ◆ 구의 겉넓이와 부피

이것들은 전부 다 중학교 1학년 수학에 나오는 내용으로, 수학 공식을 알게 되는 것과 직접 앱을 개발해 본다는 점에서 의미가 있으리라 생각합니다. 그러면 한번 해봅시다.

우선 기존에 사용하던 FirstProject말고 다른 프로젝트를 생성하여 개발해 봅시다. 안드로이드 스튜디오에서 New project를 눌러 맨 처음 우리가 프로젝트를 생성했을 때와 똑같이 생성해 주면 됩니다. 다른 프로젝트 화면이 나온다면 왼쪽 상단에서 File>New>New Project에서 Empty View Activity를 생성해 줍시다.

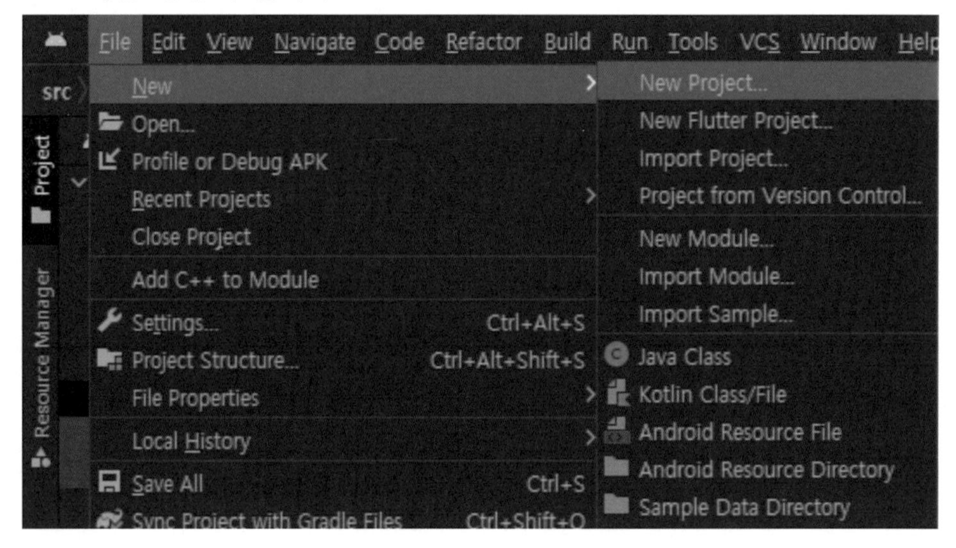

이번 프로젝트 이름은 Calculator, API는 26으로 설정하겠습니다.

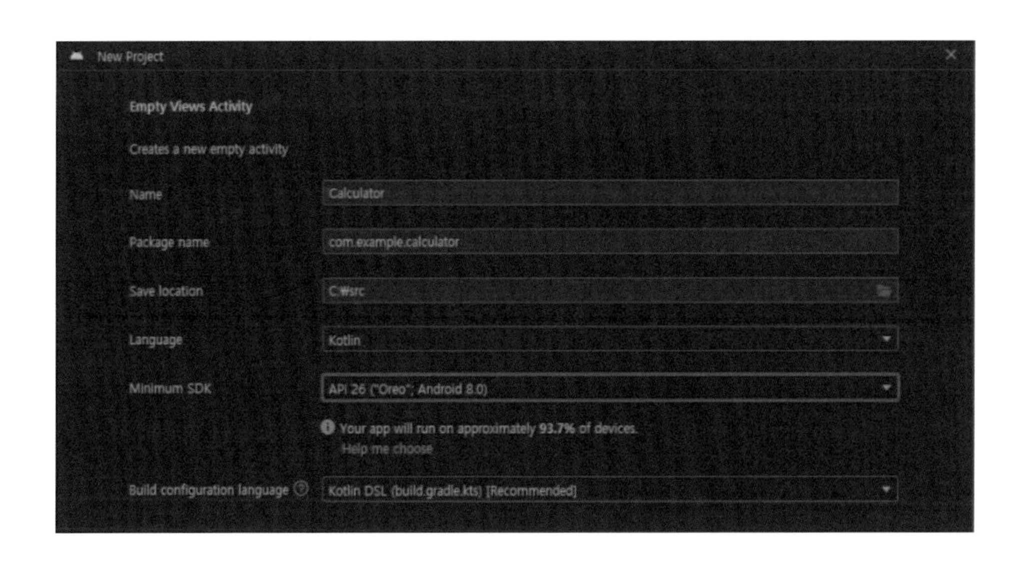

자, 앱을 개발하기 전에 일차방정식 계산기를 만들었던 것처럼 그림으로 한번 구성해 보겠습니다.

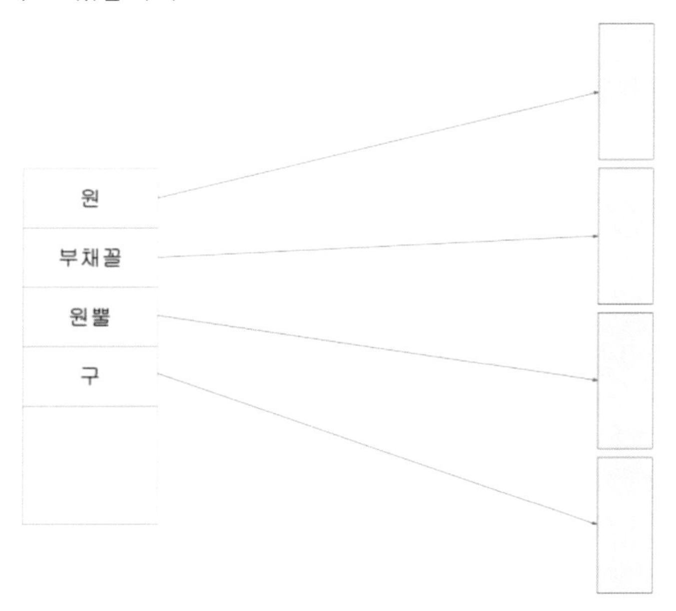

이런 식으로 각각 계산하고 싶은 계산기를 분할하여 만들어 봅시다. 각각 계산하기 위한 계산 공식은 해당하는 계산기를 만들 때 같이 설명하겠습니다.

챕터 4-2. 원 계산기 만들기

원 계산기는 2개의 결과를 줄 수 있습니다. 원의 둘레 (원주)와 넓이입니다. 원의 둘레와 넓이를 구하기 위해서는 반지름과 원주율이 필요합니다.

원주율은 무엇인가요? 원주율은 원의 둘레와 지름의 비율을 뜻합니다. 그런데, 이 비율은 항상 같습니다. 이 비율은 3.141592…로, 끝이 없는 수입니다. 그래서 우리는 직접 원의 둘레와 넓이를 구할 수 없습니다. 그러면 대체 우리는 둘레와 넓이를 어떻게 구할까요? 이를 해결하기 위해서 수학자들은 이 원주율을 π(파이)라는 기호로 나타내자고 약속했습니다. 따라서 원에 대해 계산하게 되면 π를 볼 수 있죠.

이 π는 중학교에 들어서기 전까지는 π를 근삿값(그 값에 근접한 수)을 3.14 정도로 정하고 곱하기하여 해결하게 합니다. 우리는 중학생을 기준으로 계산기를 만들 것이니 기호로 표현하겠습니다.

원의 둘레를 구하는 공식이 기억나나요? 원의 둘레를 구하는 공식을 초등학생 때는 2 * 반지름 * 3.14…로 배웠을 것입니다. 하지만 중학생이 되고 나서는 3.14..는 π로 두고 풀 수 있으므로 2 * 반지름 * π로 기억하면 됩니다. 심지어 중학생의 수준에서는 문자와 숫자를 곱하는 식에서는 곱셈 기호를 생략할 수 있으므로 반지름을 r이라는 기호로 두면 2πr로 간단하게 줄일 수 있습니다.

갑자기 문자가 나오게 되면 헷갈릴 수 있으나, 이를 실제로 풀어서 보면 2 * π * r이라는 식입니다. 문자 때문에 약간 당황하게 될 수 있지만 괜찮습니다. 이런 것은 계속해서 보다 보면 익숙해지기 때문입니다. 원의 둘레를 구하는 공식을 알았으니, 원의 넓이를 구하는 공식을 알아봅시다.

원의 넓이를 구하는 공식은 반지름 * 반지름 * π로 배웠을 겁니다. 그러면 원의 둘레를 구하는 공식과 같게 중학생이 되면 어떻게 표시하는지 알아봅시다. 아까랑 똑같이 반지름을 r로 표기하고 곱셈 기호를 생략하여 r r π로 표기할 수 있습니다. 하지만 r이 두 개가 있어서 보기 불편합니다.

그래서 이렇게 중복되는 것을 줄여서 제곱으로 나타냅니다. 제곱은 자신을 자신으로 곱하는 것입니다. 제곱의 형태는 밑과 지수로 이루어져 있습니다. 예를 들어보겠습니다. 7 * 7 * 7 * 7이 있습니다. 이것이 실제 식이라 하면 보기도 불편하고 나중에 계산할 때도 불편합니다. 그래서 수학에서는 거듭제곱이라는 형태로 이를 나타내기로 하였습니다. 7이 총 4번 곱해져 있죠? 그러면 이 식의 지수는 4가 됩니다. 그리고 7을 곱하는 것이기 때문에 밑은 7이 되고요. 그러면 이를 표현하면 7^4이 됩니다. 어때요? 보기 좀 더 편해지지 않았나요?

정리하자면, 같은 수가 몇 번 곱해져 있는지를 나타내는 표기법입니다. 이것을 원의 넓이를 구하는 식에 적용하면 πr^2으로 표기할 수 있습니다.

이제 안드로이드 스튜디오로 우선은 UI(User Interface, 사용자의 화면)를 제작해 보겠습니다. 첫 번째 화면은 계산기를 고르는 화면으로 만들겠습니다. MainActivity.kt와 activity_main.xml을 삭제하고 SelectCalc라는. kt 파일과 xml 파일을 만들어 제작해 봅시다.

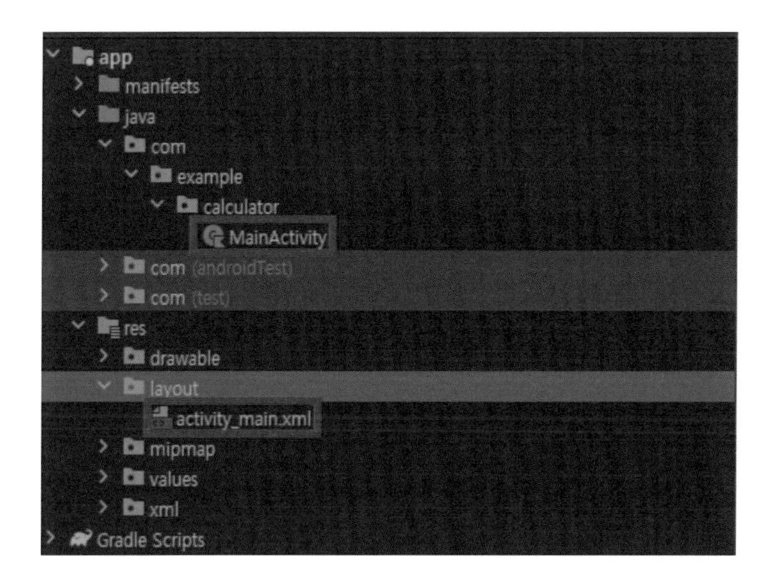

이 두 파일을 삭제해 줍시다.

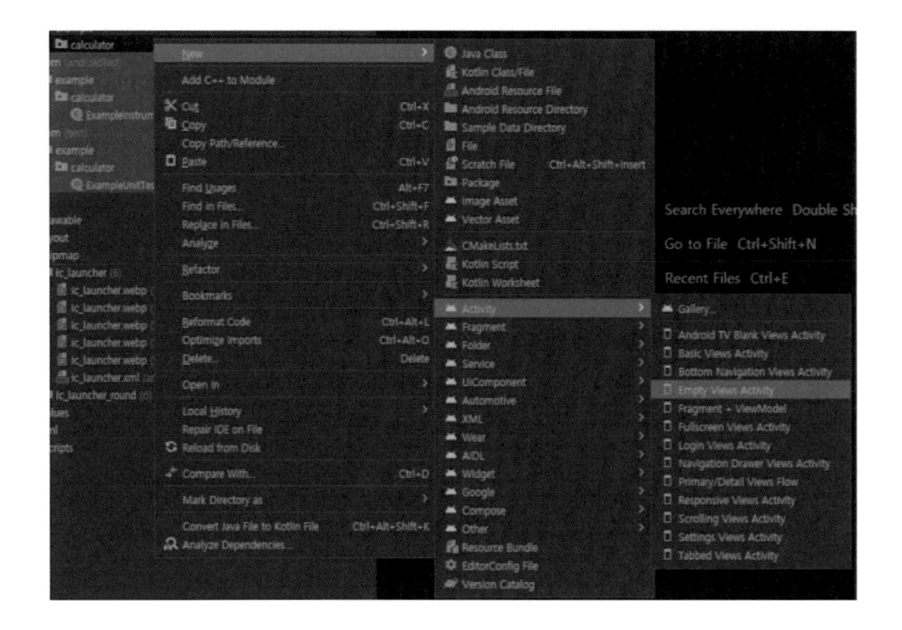

그 후에 New>Activity>Empty Views Activity로 액티비티를 생성해 줍니다.

액티비티의 이름을 정하고 프로그래밍 언어가 자바로 되어있다면 코틀린으로 바꿔줍니다. res>layout>으로 들어가 activity_select.xml 파일을 편집해 줍시다.

예제 (activity_select.xml)

```
<?xml version="1.0" encoding="utf-8"?>
<LinearLayout
    xmlns:android="http://schemas.android.com/apk/res/android"
    xmlns:tools="http://schemas.android.com/tools"
    android:layout_width="match_parent"
    android:layout_height="match_parent"
    android:orientation="vertical"
    tools:context=".SelectActivity">

    <Button
        android:id="@+id/circle"
        android:text="원"
        android:textSize="30sp"
        android:layout_width="match_parent"
        android:layout_height="wrap_content"/>
    <Button
        android:id="@+id/sectorForm"
        android:text="부채꼴"
        android:textSize="30sp"
        android:layout_width="match_parent"
        android:layout_height="wrap_content"/>
    <Button
        android:id="@+id/cone"
        android:text="원뿔"
        android:textSize="30sp"
        android:layout_width="match_parent"
        android:layout_height="wrap_content"/>
    <Button
        android:id="@+id/sphere"
        android:text="구"
        android:textSize="30sp"
        android:layout_width="match_parent"
```

```
        android:layout_height="wrap_content"/>

</LinearLayout>
```

직접 입력해 보면 정말 간단한 UI인 것을 알 수 있습니다. 이번에는 원 계산기를 만들어 보겠습니다. 앞으로 만들 계산기들은 전부 다 일차방정식 계산기를 만들었을 때처럼 디자인하겠습니다. activity_circle.xml 파일을 열어주고 다음과 같이 편집해 줍니다.

예제 (activity_circle.xml)

```
<?xml version="1.0" encoding="utf-8"?>
<LinearLayout
    xmlns:android="http://schemas.android.com/apk/res/android"
    xmlns:tools="http://schemas.android.com/tools"
    android:layout_width="match_parent"
    android:layout_height="match_parent"
    android:orientation="vertical"
    tools:context=".CircleCalc">

    <LinearLayout
        android:layout_width="match_parent"
        android:layout_height="wrap_content"
        android:layout_weight="1"
        android:orientation="vertical">
        <TextView
            android:id="@+id/circumference"
            android:gravity="center"
            android:textSize="30sp"
            android:layout_marginTop="30dp"
            android:layout_width="match_parent"
            android:layout_height="wrap_content"
            android:text="원의 둘레 : "/>
        <TextView
```

```
            android:id="@+id/circleArea"
            android:gravity="center"
            android:textSize="30sp"
            android:layout_width="match_parent"
            android:layout_height="wrap_content"
            android:text="원의 넓이 : "/>

        <EditText
            android:id="@+id/radius"
            android:layout_width="match_parent"
            android:layout_height="wrap_content"
            android:textSize="20sp"
            android:gravity="center"
            android:layout_marginTop="50dp"
            android:hint="반지름"/>
    </LinearLayout>

    <Button
        android:id="@+id/calculate"
        android:layout_width="match_parent"
        android:layout_height="wrap_content"
        android:layout_gravity="bottom"
        android:text="계산하기"/>

</LinearLayout>
```

이제 원 계산기 UI도 다 완성했으니 계산할 때 쓰일 코드를 작성해 줍시다. CircleCalc.kt 파일에서 다음과 같이 작성해 줍니다. 아 참, 그리고 이 프로젝트에서도 텍스트와 버튼에 사용자가 접근해야 하므로 뷰 바인딩을 다시 설정해 주어야 합니다. 기억이 안 난다면 다시 앞쪽을 보고 오도록 합시다.

예제 (CircleCalc.kt)

```
package com.example.calculator

import androidx.appcompat.app.AppCompatActivity
import android.os.Bundle
import com.example.calculator.databinding.ActivityCircleCalcBinding

class CircleCalc : AppCompatActivity() {

    private lateinit var binding: ActivityCircleCalcBinding

    override fun onCreate(savedInstanceState: Bundle?) {
        super.onCreate(savedInstanceState)
        setContentView(R.layout.activity_circle_calc)

        binding = ActivityCircleCalcBinding.inflate(layoutInflater)
        setContentView(binding.root)

        binding.calculate.setOnClickListener {
            var radius = binding.radius.text.toString().toFloat()
            var circumFerence = radius * 2
            var circleArea = radius * radius

            binding.circumference.text = "원의 둘레 : $circumFerence π"
            binding.circleArea.text = "원의 넓이 : $circleArea π"
        }
    }
}
```

이렇게 다 작성을 끝냈다면 계산기를 선택하는 화면에서 원을 클릭했을 때 원 계산기로 가도록 하는 코드를 작성해 봅시다.

예제 (SelectCalc.kt)

```
package com.example.calculator

import android.content.Intent
import androidx.appcompat.app.AppCompatActivity
import android.os.Bundle
import com.example.calculator.databinding.ActivitySelectBinding

class SelectActivity : AppCompatActivity() {

    private lateinit var binding: ActivitySelectBinding

    override fun onCreate(savedInstanceState: Bundle?) {
        super.onCreate(savedInstanceState)
        setContentView(R.layout.activity_select)

        binding = ActivitySelectBinding.inflate(layoutInflater)
        setContentView(binding.root)

        binding.circle.setOnClickListener {
            val intent = Intent(this, CircleCalc::class.java)
            startActivity(intent)
        }
    }
}
```

그리고 이제 마지막으로 맨 처음 앱이 작동할 때 시작화면을 설정해 주어야 합니다. AndroidManifest.xml을 열어 다음과 같이 수정해 줍시다.

예제 (AndroidManifest.xml)

```
<?xml version="1.0" encoding="utf-8"?>
<manifest xmlns:android="http://schemas.android.com/apk/res/android"
    xmlns:tools="http://schemas.android.com/tools">
```

```
    <application
        android:allowBackup="true"
        android:dataExtractionRules="@xml/data_extraction_rules"
        android:fullBackupContent="@xml/backup_rules"
        android:icon="@mipmap/ic_launcher"
        android:label="@string/app_name"
        android:roundIcon="@mipmap/ic_launcher_round"
        android:supportsRtl="true"
        android:theme="@style/Theme.Calculator"
        tools:targetApi="31">
        <activity
            android:name=".SelectActivity"
            android:exported="true">
            <intent-filter>
                <action android:name="android.intent.action.MAIN" />

                <category
         android:name="android.intent.category.LAUNCHER" />
            </intent-filter>
        </activity>
        <activity
            android:name=".CircleCalc"
            android:exported="false" />
    </application>

</manifest>
```

여기에서 중요한 부분은 intent-filter에 SelectActivity가 들어가야 한다는 점입니다. 이것까지 모두 다 적었다면, 이제 작동을 시켜봅시다.

9:19

원의 둘레 :

원의 넓이 :

4

계산하기

잘 작동하는 것을 볼 수 있습니다! 하지만 만약에 에딧 텍스트의 내용에 아무것도 적지 않는다면 무슨 일이 일어날까요?

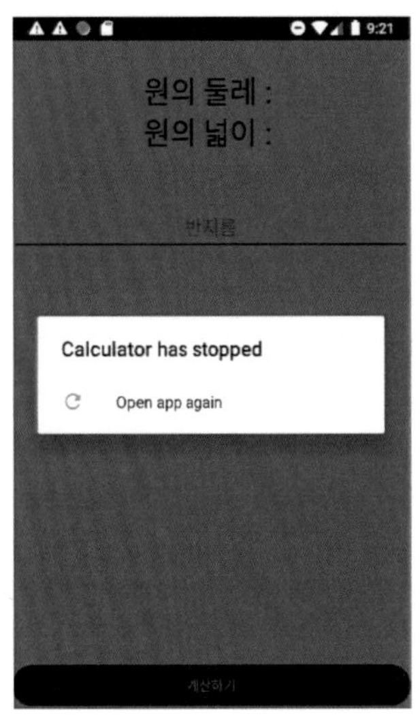

이렇게 앱이 멈춰버립니다. 이는 코드에서 오류가 나버려 더 이상 앱이 작동될 수 없음을 의미합니다.

따라서 우리는 여기에서 에딧 텍스트에 아무 것도 적지 않았을 때 나는 오류를 방지해 주어야 합니다. 예외 처리(오류 발생이 예상되는 코드의 지점에 미리 오류가 발생하기 전에 그 오류를 처리하는 코드)를 하는 방법도 있습니다만, 예외 처리를 하는 부분으로는 앱이 중단되는 것만 막고 다른 작업을 하는 것일 뿐, 우리가 할 일은 계산하는 작업 말고는 할 것이 없으니 예외 처리를 하는 것 또한 그리 썩 좋지는 않을 것입니다.

그러면 우리는 무조건 에딧 텍스트에 어떠한 값이든 받아내야 합니다. 그걸 if 문으로 작성해 보겠습니다.

예제 (CircleCalc.kt)

```
package com.example.calculator


import androidx.appcompat.app.AppCompatActivity
import android.os.Bundle
import android.widget.Toast
import com.example.calculator.databinding.ActivityCircleCalcBinding
```

```
class CircleCalc : AppCompatActivity() {

    private lateinit var binding: ActivityCircleCalcBinding

    override fun onCreate(savedInstanceState: Bundle?) {
        super.onCreate(savedInstanceState)
        setContentView(R.layout.activity_circle_calc)

        binding = ActivityCircleCalcBinding.inflate(layoutInflater)
        setContentView(binding.root)

        binding.calculate.setOnClickListener {
            if (binding.radius.text.isEmpty()) {
                Toast.makeText(this, "반지름의 값을 입력해 주세요!",
Toast.LENGTH_SHORT).show()
            }
            else {
                var radius = binding.radius.text.toString().toFloat()

                var circumFerence = radius * 2
                var circleArea = radius * radius

                binding.circumference.text = "원의 둘레 :
$circumFerence π"
                binding.circleArea.text = "원의 넓이 : $circleArea π"
            }
        }
    }
}
```

이렇게 코드를 수정해 주고 다시 실행해 봅니다.

잘 작동합니다! 이 if 문은 뷰 바인딩을 이용해 에딧 텍스트 하나가 비어있는지를 확인합니다. 그리고 그 if 문이 참일 경우(다시 말해 에딧 텍스트가 비어있을 경우) 반지름을 입력하라는 메시지를 띄웁니다. 그리고 else 문은 그 if 문이 거짓일 경우(에딧 텍스트의 값이 있을 있을 경우)에는 결괏값을 텍스트에 보여줍니다.

이것으로 원 계산기를 만드는 것이 끝났습니다. 어때요? 생각보다 쉽지 않나요? 물론 원의 둘레나 원의 넓이의 값을 구하는 것은 헷갈릴 수 있지만 괜찮습니다. 한 번만 본다고 바로 외워지면 좋겠지만, 대부분의 사람들도 여러 번 봐야 익혀지기 때문에 너무 자책할 필요는 없습니다.
필자의 경우도 수학을 그렇게 썩 잘하는 편이 되지 못합니다. 앞으로 설명할 계산기들이 3개가 남았는데, 그 3개의 계산 방식도 헷갈릴 수 있습니다. 하지만 괜찮습니다. 사람의 얼굴을 외우는 것과 비슷하게 생각하면 됩니다.

그러면 이제 다음 계산기로 넘어가 볼까요?

챕터 4-3. 부채꼴 계산기 만들기

이번에는 부채꼴입니다.
부채꼴은 말 그대로 정말 부채의 모양을 가진 도형입니다.

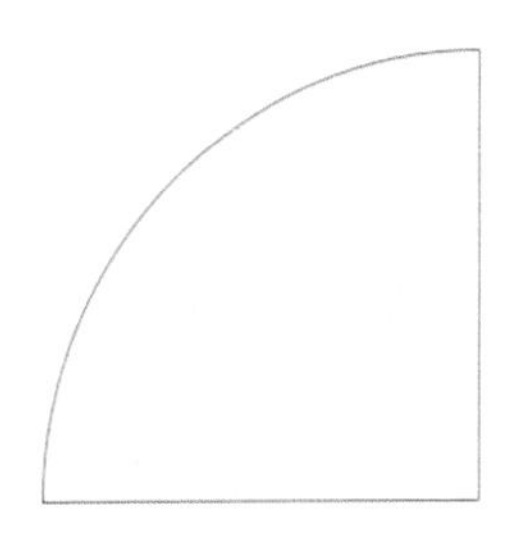

이렇게 생겼습니다. 원의 일부분을 잘랐다고 생각하면 될 것 같습니다. 우선 계산식을 이해하려면 부채꼴이 어떤 형태로 만들어져 있는지를 알아야 합니다.

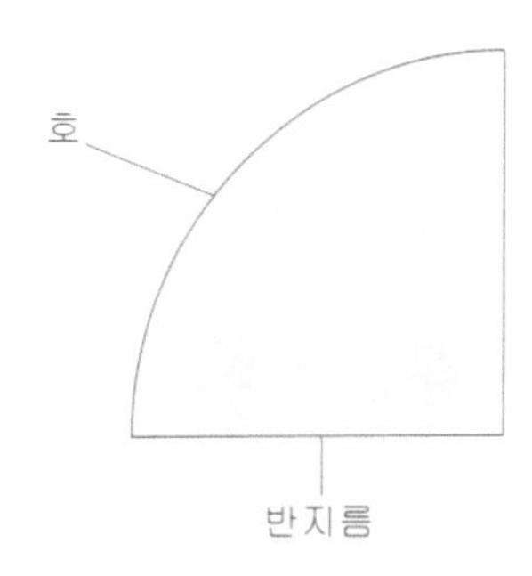

원에서 떼어져 나온 도형인 것과 비슷하게 두 가로와 세로를 '반지름'이라고 부르고, 저 반지름과 반지름을 이은 곡선을 '호'라고 부릅니다. 이 부채꼴에서 우리가 구해야 할 것은 이 부채꼴의 넓이와 호의 길이입니다. 물론 부채꼴의 둘레를 구하는 것도 있지만 둘레는 호의 길이만 구하면 거의 바로 둘레의 길이가 나오므로 따로 공식을 외워 둘 필요가 없습니다.

부채꼴에서는 부채꼴의 넓이나 호의 길이를 구할 수 있습니다. 부채꼴의 넓이는 원을 생각하며 풀면 좀 더 쉽게 이해할 수 있습니다. 왜냐하면 부채꼴은 원에서 떼 져 나온 모습과 비슷하기 때문입니다.

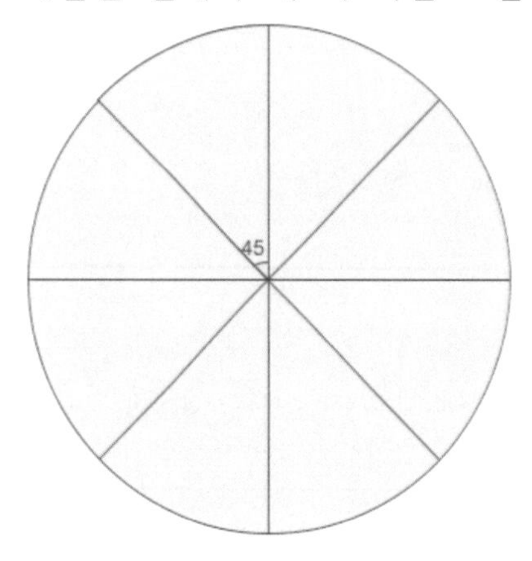

지금 보이는 원은 8등분 되어있습니다. 그리고 이 중 하나만 따로 보게 되면 부채꼴 모양이 나오게 됩니다.

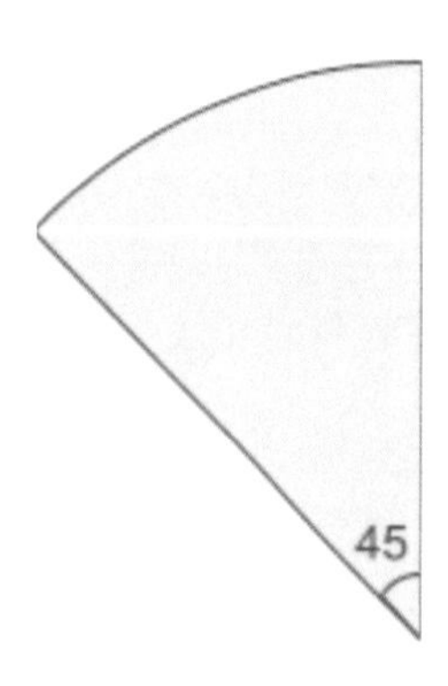

이렇게 말이죠.

그러면 우선 부채꼴의 넓이를 구해보겠습니다. 바로 공식을 설명하면 이해도 잘 안되는 것은 물론이고 원리도 알지 못해 공식을 까먹었을 때 따로 어떻게 대처할 수 없습니다. 그래서 이번에는 공식 먼저 외우는 것이 아니라 천천히 접근해 보겠습니다.

위에서 설명했던 것처럼 원의 일부분을 부채꼴로 볼 수 있습니다.
그 말은 즉, 부채꼴의 넓이와 호의 길이는 원과 상당히 밀접한 관계가 있다는 것이죠. 부채꼴의 넓이를 구하는 것에 접근하려면 비례식을 알아야 합니다. 비례식이 뭐였는지 기억하나요?

비례식은 비율이 같은 식 두 개를, 등호(=)를 사용하여 연결 지은 것을 말합니다. 예를 들어 3 : 5 = 15 : 25인 것처럼요.
그러면 이제 이것을 활용하여 부채꼴의 넓이를 구해봅시다. 위에 있던 원의 반지름을 4라고 하죠. 반지름이 4인 원에서 떨어져 나온 부채꼴의 반지름 또한 4입니다. 그리고 원의 중심에 있는 각의 크기는 얼마죠? 한 바퀴를 돌았으니 360도입니다. 원의 넓이를 구하는 식은 πr^2이죠. 그러면 원의 넓이는 16π이 됩니다. 이제 이 둘의 비례식을 세워보면 다음과 같습니다: 360 : 16 = 45 : x(넓이)

왼쪽의 비가 원이고 오른쪽의 비가 부채꼴입니다. 비례식에는 한 가지 성질이 있었습니다. 바로 외항과 내항의 곱은 같다는 것인데요. 이를 이용하여 계산해 보면 360x = 720이 됩니다. 이 일차방정식을 풀면 x = 2가 나오게 됩니다.

따라서 저 부채꼴의 넓이는 2π입니다. 이제 이 비례식을 한번 공식으로 정리해 보겠습니다. 360 : 16 = 45 : 2 이 비례식에서 반지름의 값과 각의 크기가 정해져 있지 않다고 할 때, 360 : πr^2 = x : S(넓이) 360 * S = πr^2 * x 이제 마지막으로 좌항에 넓이만 남기기 위해 360을 나누어 주면 S = πr^2 * x / 360으로 정리할 수 있습니다. 즉, 부채꼴의 넓이를 구하는 공식은 πr^2 * x / 360입니다.

이번에는 호의 길이를 구해보겠습니다. 호의 길이를 구하는 방법도 위와 많이 다르지 않습니다. 이번에도 반지름이 4인 원이 있습니다. 그리고 반지름이 4이고 중심각이 45도인 부채꼴이 있습니다. 호의 길이는 원의 둘레와 관련이 있습니다. 따라서 비례식을 세우게 되면 360 : 8 = 45 : l (호의 길이)가 됩니다. 이 비례식을 다시 풀면 360 * l = 360이 됩니다. l만 남겨야 하므로 360을 양변에 나누어 주면 l = 1 즉, 이 부채꼴의 호의 길이는 1π입니다.

위에서 했던 것처럼 다시 공식으로 만들어 주면 l = 2π r * x / 360이 됩니다. 따라서 부채꼴의 호의 길이를 구하는 공식은 2π r * x / 360입니다.

추가로 부채꼴의 넓이를 구하는 공식이 한 가지 더 있습니다.
r * l / 2라는 공식인데요. 아쉽게도 이 공식을 설명하기에는 많은 어려움이 있습니다. 그 이유는 설명하기 위해서는 고등학교 수학에 나오는 호도법이라는 것을 이용해야 하기 때문입니다.
그래서 이 공식은 그냥 외우셔야 합니다.

그러면 이제 모든 공식을 알았으니 직접 계산기를 만들어 봅시다.

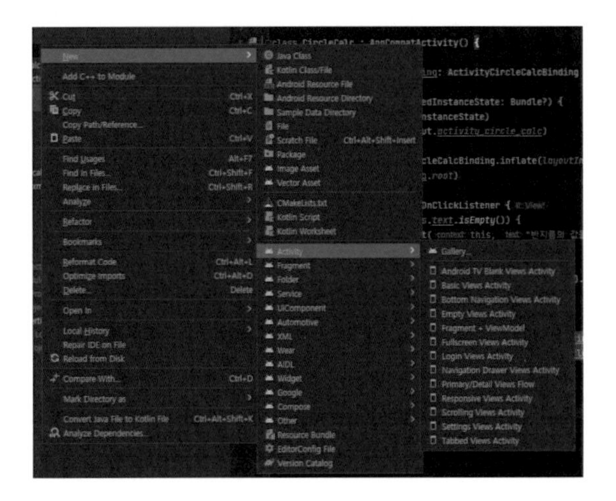

새로운 액티비티를 생성해 줍시다. 이번에도 Empty Views Activity를 사용하겠습니다.

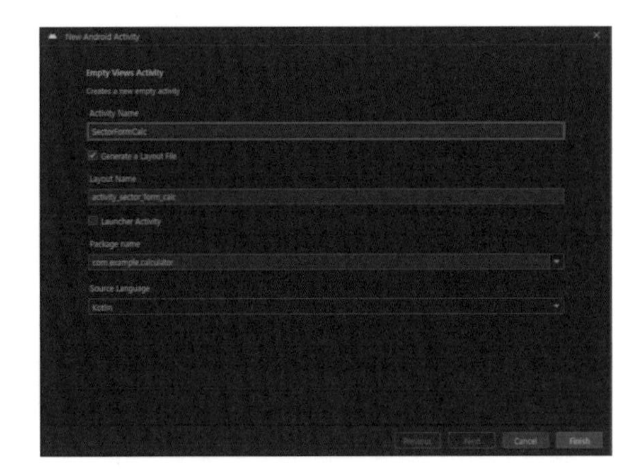

액티비티 이름은 SectorFormActivity로 정해주고 당연히 Source Language는 코틀린으로 설정하고 Finish를 클릭해 줍니다. 우선은 SelectActivity.kt 먼저 편집해 주겠습니다.

예제 (SelectActivity.kt)

```
package com.example.calculator

import android.content.Intent
import androidx.appcompat.app.AppCompatActivity
import android.os.Bundle
import com.example.calculator.databinding.ActivitySelectBinding

class SelectActivity : AppCompatActivity() {

    private lateinit var binding: ActivitySelectBinding

    override fun onCreate(savedInstanceState: Bundle?) {
        super.onCreate(savedInstanceState)
        setContentView(R.layout.activity_select)

        binding = ActivitySelectBinding.inflate(layoutInflater)
        setContentView(binding.root)

        binding.circle.setOnClickListener {
            val intent = Intent(this, CircleCalc::class.java)
            startActivity(intent)
        }
        binding.sectorForm.setOnClickListener {
            val intent = Intent(this, SectorFormCalc::class.java)
            startActivity(intent)
        }
    }
}
```

부채꼴 계산기로 넘어가는 코드를 추가합니다. 이제 부채꼴 계산기 UI를 만들어 보겠습니다.

예제 (activity_sector_form_calc.xml)

```
<?xml version="1.0" encoding="utf-8"?>
<LinearLayout
    xmlns:android="http://schemas.android.com/apk/res/android"
    xmlns:tools="http://schemas.android.com/tools"
    android:layout_width="match_parent"
    android:layout_height="match_parent"
    android:orientation="vertical"
    tools:context=".SectorFormCalc">

    <LinearLayout
        android:layout_width="match_parent"
        android:layout_height="wrap_content"
        android:layout_weight="1"
        android:orientation="vertical">
        <TextView
            android:id="@+id/sectorFormSquare"
            android:gravity="center"
            android:textSize="30sp"
            android:layout_marginTop="30dp"
            android:layout_width="match_parent"
            android:layout_height="wrap_content"
            android:text="부채꼴의 넓이 : "/>
        <TextView
            android:id="@+id/sectorFormLength"
            android:gravity="center"
            android:textSize="30sp"
            android:layout_width="match_parent"
            android:layout_height="wrap_content"
            android:text="호의 길이 : "/>
```

```
        <EditText
            android:id="@+id/radius"
            android:layout_width="match_parent"
            android:layout_height="wrap_content"
            android:textSize="20sp"
            android:gravity="center"
            android:layout_marginTop="50dp"
            android:hint="반지름"/>
        <EditText
            android:id="@+id/angle"
            android:layout_width="match_parent"
            android:layout_height="wrap_content"
            android:textSize="20sp"
            android:gravity="center"
            android:layout_marginTop="20dp"
            android:hint="각도"/>
        <EditText
            android:id="@+id/length"
            android:layout_width="match_parent"
            android:layout_height="wrap_content"
            android:textSize="20sp"
            android:gravity="center"
            android:layout_marginTop="20dp"
            android:hint="호의 길이"/>
    </LinearLayout>

    <Button
        android:id="@+id/calculate"
        android:layout_width="match_parent"
        android:layout_height="wrap_content"
        android:layout_gravity="bottom"
        android:text="계산하기"/>
</LinearLayout>
```

이제 계산을 실행할 코드를 작성해 줍니다.

예제 (SectorFormCalc.kt)

```
package com.example.calculator

import androidx.appcompat.app.AppCompatActivity
import android.os.Bundle
import android.widget.Toast
import
com.example.calculator.databinding.ActivitySectorFormCalcBindi
ng

class SectorFormCalc : AppCompatActivity() {

    private lateinit var binding: ActivitySectorFormCalcBinding

    override fun onCreate(savedInstanceState: Bundle?) {
        super.onCreate(savedInstanceState)
        setContentView(R.layout.activity_sector_form_calc)

        binding =
ActivitySectorFormCalcBinding.inflate(layoutInflater)
        setContentView(binding.root)

        fun angleSectorForm(radius : Float, angle : Float) {
            println(radius)
            println(angle)
            binding.sectorFormSquare.text = "부채꼴의 넓이 : " +
(radius * radius * angle / 360).toString() + "π"
            binding.sectorFormLength.text = "호의 길이 : " + (2 *
radius).toString() + "π"
        }

        fun lengthSectorForm(radius : Float, length: Float) {
```

```
            println(radius)
            println(length)
            binding.sectorFormSquare.text = "부채꼴의 넓이 : " +
(radius * length / 2) + "π"
            binding.sectorFormLength.text = ""
        }

        binding.calculate.setOnClickListener() {
            // EditText에 입력하지 않은 값이 존재할 경우
            if
(binding.length.text.isEmpty()||binding.radius.text.isEmpty()|
|binding.angle.text.isEmpty()) {
                Toast.makeText(this, "입력하지 않은 값이 하나 있습
니다.\n만약 존재하지 않는 값이라면 0을 입력해 주세요.",
Toast.LENGTH_SHORT).show()
                return@setOnClickListener
            }
            // 호의 길이에 입력한 값이 0일 경우 부채꼴의 넓이와 부채
꼴의 호의 길이를 구함
            if (binding.length.text.toString() == "0") {

angleSectorForm(binding.radius.text.toString().toFloat(),
binding.angle.text.toString().toFloat())
            }
            // 부채꼴의 중심각의 크기가 0일 경우 호의 길이를 알고 있
는 것으로 간주해 부채꼴의 넓이를 구함
            if (binding.angle.text.toString() == "0") {

lengthSectorForm(binding.radius.text.toString().toFloat(),
binding.length.text.toString().toFloat())
            }
        }
    }
```

```
}
```

여기에서는 함수를 사용하여 각각의 계산식을 구현했습니다.
앞에서 이야기했다시피 부채꼴의 넓이를 구하는 공식은 두 가지가 있습니다. 각이 정해져 있고 호의 길이가 정해져 있지 않을 때는 $\pi r^2 * x / 360$로 계산할 수 있고, 각의 크기가 정해져 있지 않고 호의 길이가 정해져 있는 경우에는 r * l / 2로 계산할 수 있습니다.
이 두 공식을 각각 따로 함수로 만들어 계산할 때 불러오면 간단하게 사용할 수 있겠죠?
함수로 만든 이유는 두 가지의 이유가 있습니다. 함수로 코드를 뭉쳐놓으면 이후에 수정이 더 편리하고 함수의 이름으로 코드의 내용 파악이 어느 정도 가능하며 가장 큰 이유는 코드가 훨씬 더 간결해지기 때문입니다. 또한 함수로 만들 때 사용자가 원하는 값을 조금 더 쉽게 받아 계산하는 함수로 보내줄 수 있기 때문입니다.

함수 뒤에 따라 나오는 괄호의 내용은 이 함수에서 사용할 변수를 미리 만들어 두고, 그 값을 받을 준비를 하는 것입니다.

좋습니다! 이제 여러분은 부채꼴 계산기까지 다 완성하였습니다. 다음 장에서는 원뿔 계산기를 만들어 보도록 하겠습니다.

챕터 4-4. 원뿔 계산기 만들기

이번에는 원뿔 계산기입니다. 원뿔의 구조를 먼저 알아봅시다. 원뿔은 다음과 같이 모선 2개와 높이, 그리고 원을 밑으로 두고 있는 입체도형입니다.

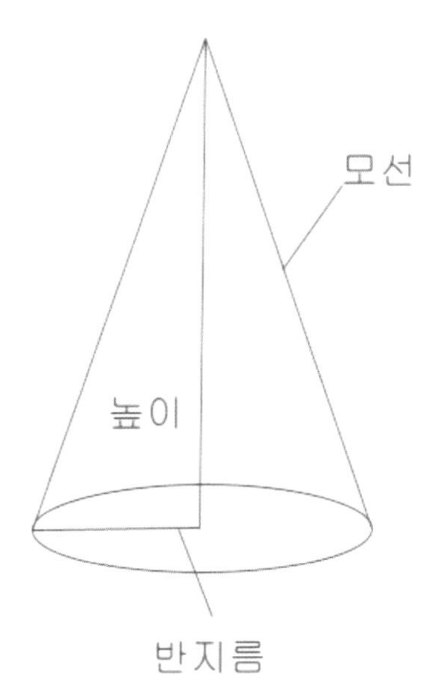

한 가지 짚고 넘어가야 할 부분이 있습니다. 점 하나가 있습니다.
이 점이 쭉 움직이면 어떤 것이 만들어지나요? 선이 만들어지게 됩니다. 그렇다면 이제 그 선을 옆으로 쭉 움직이면 어떤 것이 만들어질까요? 면이 만들어지게 됩니다. 원뿔은 모선이 옆으로 쭉 이어져 있습니다. 모선도 선이기 때문에 결국 옆으로 계속 움직이다 보면 어떻게 된다고 했었죠? 네. 면이 만들어집니다. 따라서 원뿔은 원으로 된 밑면과 모선으로 둘러싸인 옆면이 생기게 됩니다.

원뿔에서는 어떤 것들을 구할 수 있을지 한번 생각해 봅시다. 아마 입체도형이니 부피를 구할 수 있지 않을까요? 음.. 그리고 겉넓이도 구할 수 있을 것 같습니다.

우선은 겉넓이를 먼저 구해볼까요? 좋습니다. 우선은 원뿔의 밑면이 원이니 원의 넓이를 구하면 원뿔의 밑면 넓이를 구했습니다. 그렇다면 원뿔의 옆넓이를 어떻게 구해야 할까요?
필자도 이 질문을 받고 상당히 오랜 시간 고민했었던 기억이 있습니다. 도저히 고민을 해보아도 이 옆넓이를 어떻게 구하라는 것인지를 이해하지 못했습니다. 이것은 공간 지각 능력이 좋은 사람이라면 그리 오래 고민하지 않을 수도 있을 것입니다.

자, 이 원뿔의 전개도를 봅시다.

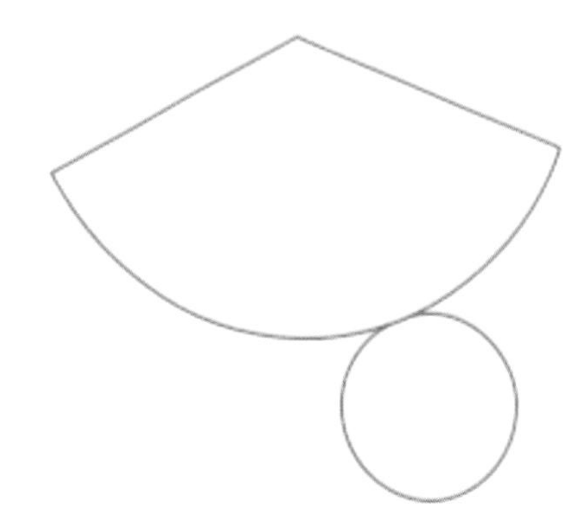

이렇게 생겼습니다. 왜일까요? 원 위에 있는 부채꼴의 호의 길이가 원의 둘레 길이와 같고, 입체적으로 구부리게 되면 원뿔이 만들어지기 때문입니다. 다시 본론으로 돌아와서, 원뿔의 겉넓이를 구하는 공식을 알아보겠습니다.

앞에서 원뿔이 어떻게 구성되어 있는지 전개도를 이용하여 확인해 보았습니다. 원뿔은 원 하나와 부채꼴 하나로 이루어져 있으니, 원의 넓이와 부채꼴의 넓이를 더하면 원뿔 전체의 겉넓이가 나오게 됩니다. 이걸 기호로 표현하기에는 조금 힘드니 예시 문제 하나만 풀어봅시다.

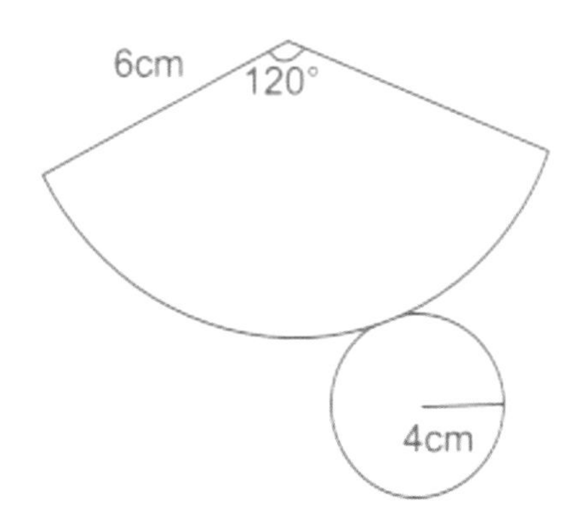

부채꼴을 먼저 봅시다. 반지름은 6cm이고 각도는 120도이니 부채꼴의 넓이를 계산하는 공식 $\pi r^2 * x / 360$을 사용하여 구하면

$\pi * 6 * 6 * 120 / 360$
$= \pi * 36 * 120 / 360$
$= \pi * 36 / 3$ $(120 / 360 = 1 / 3)$
$= 12\pi$

즉, 부채꼴의 넓이는 $12\pi cm^2$입니다. 그리고 이어서 원의 넓이 공식 πr^2을 이용하여 구하면

$\pi * 4 * 4$
$= 16$
즉, 원의 넓이는 $16\pi cm^2$이겠죠? 이제 이 둘을 더하면 원뿔의 겉넓이가 나오게 되는 것입니다.
$16 + 12 = 28$
따라서 원뿔의 겉넓이는 $28\pi cm^2$입니다.

이렇게 원뿔의 겉넓이를 구했습니다. 그러면 이제 원뿔의 부피를 구해봅시다.

원뿔의 부피를 어떻게 구할 수 있을지 먼저 간단한 것으로 생각해 봅시다. 초등학교 6학년 때 배웠었던 내용을 떠올려봅시다. 직육면체의 부피를 어떻게 구했었죠?

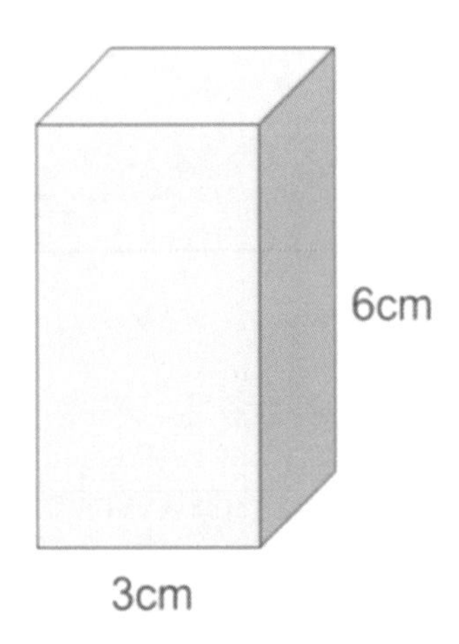

이 직육면체의 밑면이 정사각형일 때, 이 직육면체의 부피를 구해보세요. 얼마인가요? 네. $54cm^2$입니다. 어떻게 풀었나요? 우선은 밑면의 넓이를 알아야 합니다. 근데 이 직육면체의 밑면은 정사각형이니 가로, 세로가 둘 다 모두 3cm입니다. 그러면 3 * 3(혹은 3^2)이므로 $9cm^2$겠죠? 직육면체는 안쪽이 가득 차 있는 도형이기 때문에 높이를 곱하면 됩니다.

왜 높이를 곱해야 할까요? 컵 하나가 있습니다. 이제 그 컵에 음료를 부었을 때, 음료는 어디서부터 차오르나요? 네. 그 컵의 밑면에서부터 차오릅니다. 이런 입체도형의 부피도 다르지 않습니다. 밑면부터 천천히 올라오는 것과 같으므로 높이를 곱하면 그 도형의 부피가 나오게 되는 것입니다. 이해되었나요? 자, 그러면 다시 이어서 풀어봅시다. 아까 밑면의 넓이가 $9cm^2$이니 거기에 높이 6cm를 곱하면 $54cm^3$이 나오게 됩니다.

자, 입체도형의 부피를 이렇게 구했습니다. 다른 기둥 도형들도 다 이렇게 부피를 구하게 됩니다. 그러나 원뿔의 경우는 약간 다릅니다. 왜냐하면 원기둥과는 다르게 원뿔은 위로 올라갈수록 면이 점점 좁아지기 때문입니다. 그러면 대체 어떻게 구할까요? 간단히 1 / 3을 곱하거나 3을 나누게 되면 원뿔의 부피가 나옵니다. 그러면 이제 위에서 다루었던 내용들을 종합하여 공식으로 만들면 (원뿔의 부피) = πr^2h / 3으로 정리할 수 있습니다. (r = 반지름, h = 높이)

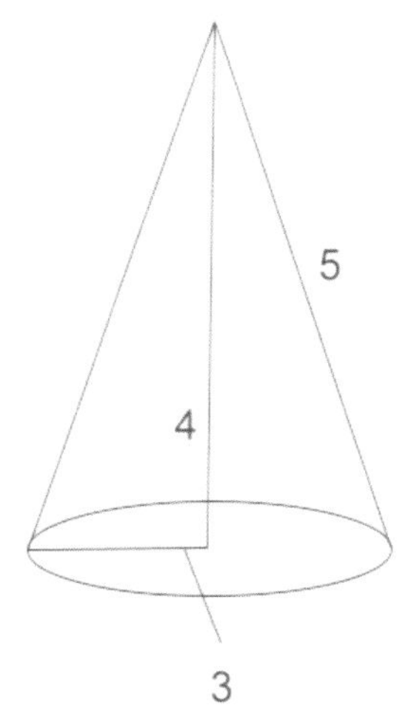

자, 이 원뿔의 부피를 구해보세요. 우선 원의 반지름이 3이니 3의 제곱을 해주게 되면 9가 나옵니다. 밑면의 넓이를 구했으니, 높이를 곱해줍니다. 높이가 4이니 9 * 4를 하여 36이 되겠군요. 그리고 마지막으로 3을 나눠준 후에 π를 곱해주면 $12\pi^3$이 나오게 됩니다. 이 풀이를 정리하면 다음과 같이 나타낼 수 있습니다.

π * 3 * 3 * 4 / 3
= π * 9 * 4 / 3
= π * 36 / 3
= π * 12
= 12π

좋습니다. 그런데 재미있는 사실은 여기에서 원뿔의 겉넓이까지도 구할 수 있습니다. 어떻게 구할 수 있을까요? 답은 부채꼴의 넓이를 구하는 공식에 있습니다. 부채꼴의 넓이를 구할 수 있는 공식은 뭐가 있었죠? 네. 맞습니다. πr^2 * x / 360이 있습니다. 그런데 하나가 더 있습니다. 자세한 원리를 알려주지는 못했지만, 상당히 간단하게 생긴 rl / 2입니다. 그러면 이 공식을 방금 그 원뿔에서 어떻게 사용할 수 있을까요? 음.. 일단 원뿔 모선의 길이가 5입니다. 잘 모르겠으니, 전개도를 놓고 한번 봅시다.

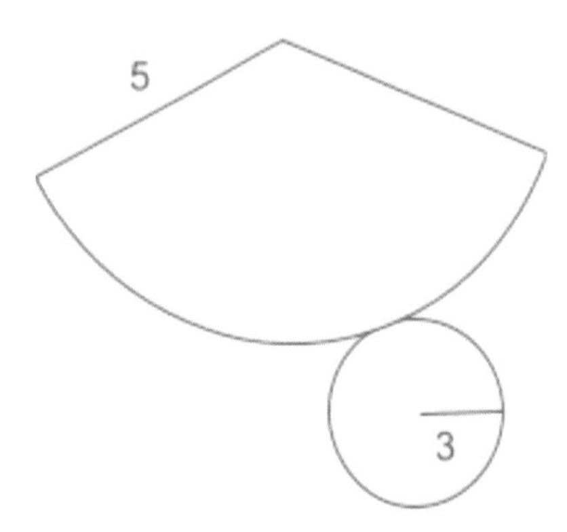

겉넓이를 구하는 문제이기 때문에 높이는 필요가 없습니다. 전개도를 펼쳤을 때 어떻게 표기해야 하는지도 모르는 이유도 있고요. 그러면 천천히 생각해 봅시다. 아, 원뿔 모선의 길이는 부채꼴 반지름의 길이와 같군요. 음... 그런데 아직도 겉넓이를 구하기엔 뭔가가 부족합니다. rl / 2 공식을 사용하기 위해서는 호의 길이를 알아내야 합니다. 그런데 호의 길이를 알아낼 수 있는 공식은 2π r * x / 360인데, 지금은 각도를 알지 못하기 때문에 호의 길이를 구할 수 없습니다. 그러면 도대체 어떻게 풀어야 하는 것일까요?

바로 밑면, 원을 이용하여서 풀면 됩니다. 왜냐, 바로 원뿔을 보았을 때 부채꼴의 호의 길이가 원의 둘레 길이와 같기 때문입니다.

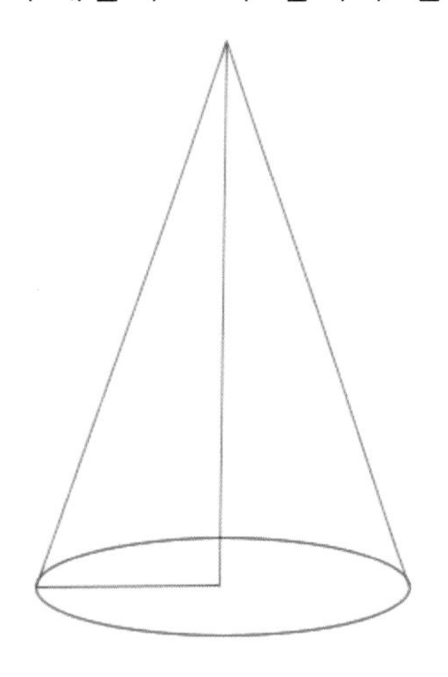

맞죠? 원의 둘레를 다 감싸고 있는 부채꼴의 호의 길이는 결국 원의 둘

레가 되어버리니까요. 방금 그 문제를 다시 보죠.

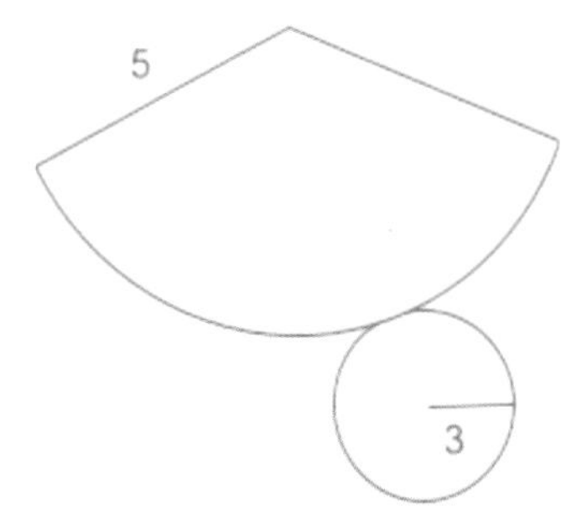

원의 반지름이 3이니 2πr을 사용하면 6π가 나옵니다. 그러면 부채꼴의 호의 길이도 6π겠네요. 마침내 부채꼴의 넓이를 구할 수 있습니다. rl / 2, 즉 π * 5 * 6 / 2 = 15π 원뿔의 겉넓이를 구하는 것이니 15π + 9π = 24π로 계산이 끝나게 됩니다.

이것으로 원뿔 계산 이론은 모두 다 끝났습니다. 이제 원뿔 계산기를 만들어 보도록 합시다.

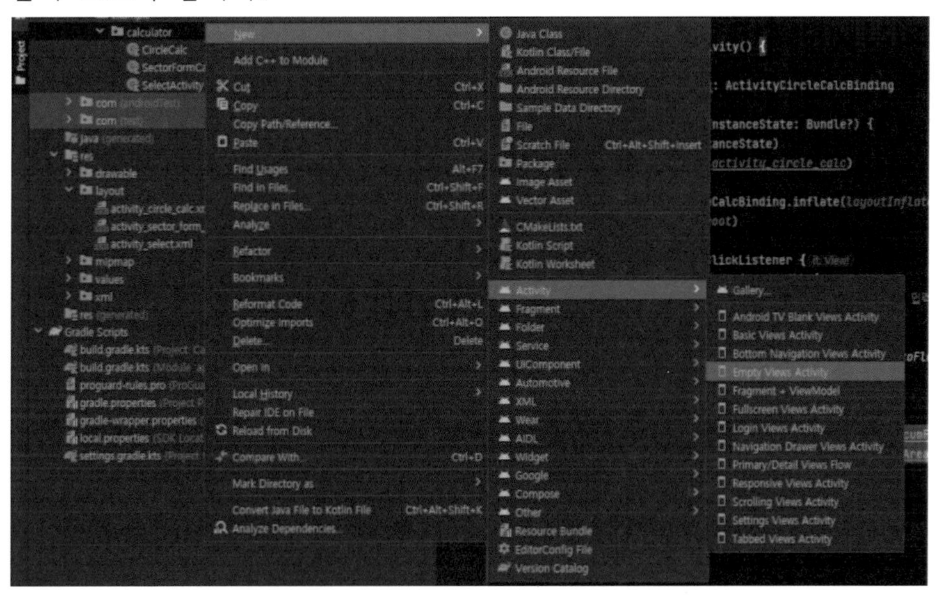

항상 그랬던 것처럼 새로운 액티비티를 하나 만들어 줍니다.

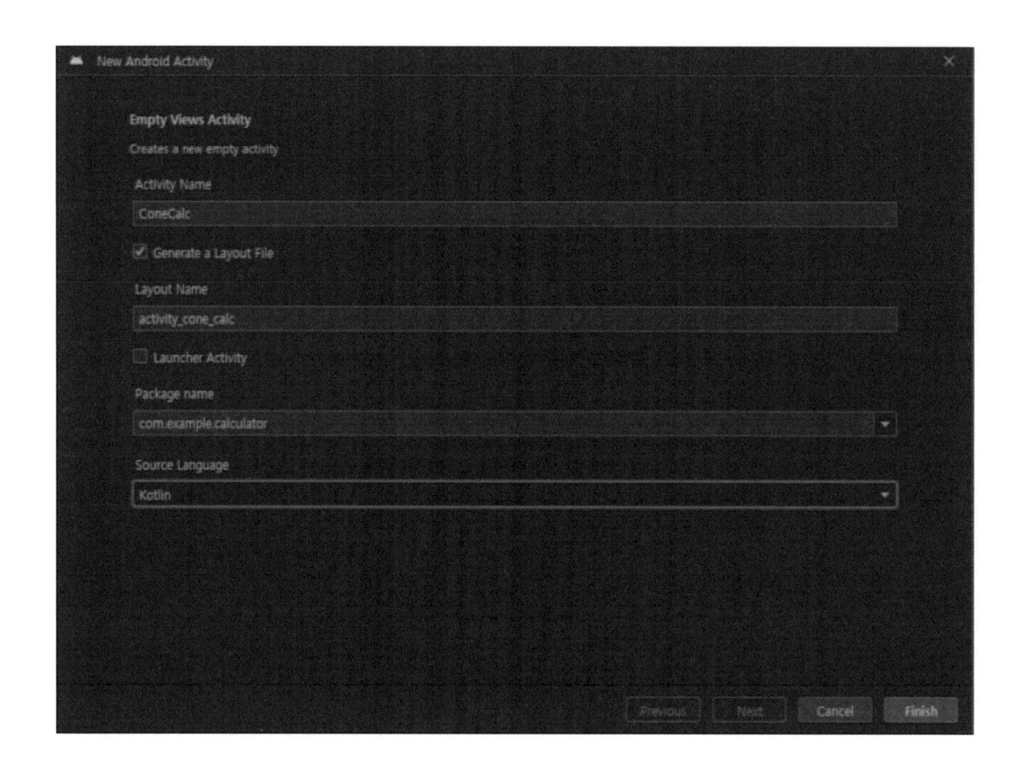

액티비티 이름은 ConeCalc로 정하고 생성해 주겠습니다. 이전과 똑같이 SelectActivity에 원뿔 계산기로 넘어가는 코드를 추가해 주겠습니다. SelectActivity.kt 파일을 다음과 같이 편집해 줍니다.

예제 (SelectActivity.kt)

```
package com.example.calculator

import android.content.Intent
import androidx.appcompat.app.AppCompatActivity
import android.os.Bundle
import com.example.calculator.databinding.ActivitySelectBinding

class SelectActivity : AppCompatActivity() {

    private lateinit var binding: ActivitySelectBinding
```

```
    override fun onCreate(savedInstanceState: Bundle?) {
        super.onCreate(savedInstanceState)
        setContentView(R.layout.activity_select)

        binding = ActivitySelectBinding.inflate(layoutInflater)
        setContentView(binding.root)

        binding.circle.setOnClickListener {
            val intent = Intent(this, CircleCalc::class.java)
            startActivity(intent)
        }
        binding.sectorForm.setOnClickListener {
            val intent = Intent(this, SectorFormCalc::class.java)
            startActivity(intent)
        }
        binding.cone.setOnClickListener {
            val intent = Intent(this, ConeCalc::class.java)
            startActivity(intent)
        }
    }
}
```

이번에는 원뿔 계산기 UI를 구성해 줍니다.

예제 (activity_cone_calc.xml)

```
<?xml version="1.0" encoding="utf-8"?>
<LinearLayout
    xmlns:android="http://schemas.android.com/apk/res/android"
    xmlns:app="http://schemas.android.com/apk/res-auto"
    xmlns:tools="http://schemas.android.com/tools"
    android:layout_width="match_parent"
    android:layout_height="match_parent"
```

```
    android:orientation="vertical"
    tools:context=".ConeCalc">

    <LinearLayout
        android:layout_width="match_parent"
        android:layout_height="wrap_content"
        android:layout_weight="1"
        android:orientation="vertical">
        <TextView
            android:id="@+id/coneSurface"
            android:gravity="center"
            android:textSize="30sp"
            android:layout_marginTop="30dp"
            android:layout_width="match_parent"
            android:layout_height="wrap_content"
            android:text="원뿔의 겉넓이 : "/>
        <TextView
            android:id="@+id/coneVolume"
            android:gravity="center"
            android:textSize="30sp"
            android:layout_width="match_parent"
            android:layout_height="wrap_content"
            android:text="원뿔의 부피 : "/>

        <EditText
            android:id="@+id/bottomRadius"
            android:layout_width="match_parent"
            android:layout_height="wrap_content"
            android:textSize="20sp"
            android:gravity="center"
            android:layout_marginTop="50dp"
            android:hint="밑면의 반지름"/>
        <EditText
```

```
            android:id="@+id/height"
            android:layout_width="match_parent"
            android:layout_height="wrap_content"
            android:textSize="20sp"
            android:gravity="center"
            android:layout_marginTop="20dp"
            android:hint="높이"/>
        <EditText
            android:id="@+id/generator"
            android:layout_width="match_parent"
            android:layout_height="wrap_content"
            android:textSize="20sp"
            android:gravity="center"
            android:layout_marginTop="20dp"
            android:hint="모선의 길이"/>
    </LinearLayout>

    <Button
        android:id="@+id/calculate"
        android:layout_width="match_parent"
        android:layout_height="wrap_content"
        android:layout_gravity="bottom"
        android:text="계산하기"/>
</LinearLayout>
```

딱히 부채꼴 계산기와 달라진 게 없습니다. 이번에는 원뿔의 겉넓이와 높이를 구하는 코드를 넣어봅시다.

예제 (ConeCalc.kt)

```
package com.example.calculator


import androidx.appcompat.app.AppCompatActivity
import android.os.Bundle
import android.widget.Toast
```

```
import com.example.calculator.databinding.ActivityConeCalcBinding

class ConeCalc : AppCompatActivity() {

    private lateinit var binding: ActivityConeCalcBinding

    override fun onCreate(savedInstanceState: Bundle?) {
        super.onCreate(savedInstanceState)
        setContentView(R.layout.activity_cone_calc)

        binding = ActivityConeCalcBinding.inflate(layoutInflater)
        setContentView(binding.root)

        binding.calculate.setOnClickListener {
            if (binding.bottomRadius.text.isEmpty() ||
binding.height.text.isEmpty() || binding.generator.text.isEmpty()) {
                Toast.makeText(this, "반지름의 값을 입력해 주세요!",
Toast.LENGTH_SHORT).show()
            } else {
                var bottomRadius =
binding.bottomRadius.text.toString().toFloat()
                var height = binding.height.text.toString().toFloat()
                var generator =
binding.generator.text.toString().toFloat()

                var coneSurface = (bottomRadius * bottomRadius) +
(bottomRadius * generator)
                var coneVolume = bottomRadius * bottomRadius *
height / 3

              binding.coneSurface.text = "원뿔의 겉넓이 : $coneSurface π²"
              binding.coneVolume.text = "원뿔의 부피 : $coneVolume π³"
            }
```

```
        }
    }
}
```

이렇게 하면 원뿔 계산기가 다 완성됩니다. 약간 아쉬운 부분이 있다면 이제 본인이 직접 한번 만들어 보세요! 그냥 따라 치기만 해서는 코딩 실력이 절대로 늘 수 없습니다. 다른 사람의 코드를 모방해서라도 무언가를 본인이 원하는 대로 만들어 보아야 코딩 실력이 조금이라도 더 늘어날 수 있습니다.

그러면 이제 마지막 계산기, 구 계산기를 만들러 출발해 봅시다!

챕터 4-5. 구 계산기 만들기

이제 계산기 만들기 프로젝트의 끝입니다. 바로 구 계산기입니다.
구는 어떻게 생긴 도형인가요? 축구공이나 농구공, 야구공같이 공 종류가 생각이 납니다. 네, 구는 공과같이 동그랗게 생긴 도형입니다. 필자는 구의 부피나 겉넓이를 구하려고 해본 적이 단 한 번도 없습니다. 음.. 아니, 오히려 궁금해했던 적이 없습니다. 하지만 과거의 수학자들은 그렇지 않았습니다.
구의 부피와 겉넓이를 어떻게 구할지 연구하다가 결국에 공식을 만드는 것에 성공하고 말았습니다. 그러면 이제 그 공식을 배우러 가봅시다.

구의 겉넓이와 부피를 어떻게 구할지 생각해 봅시다. 이야.. 이것도 어렵습니다. 그렇지 않나요? 아마 머리가 좋은 독자분들은 배우지 않아도 알아낼 수 있을 것으로 생각됩니다. 하지만 알아내지 못한다 해도 괜찮습니다. 필자도 배워서 이런 책을 쓸 수 있지, 아예 모르는 것에 대해서 분석하고 생각하는 것은 어른들도 힘들어하는 일입니다. 그러니 좌절 말고 배워봅시다.

구의 부피와 구의 겉넓이를 구하는 공식은 아쉽게도 중학교에서 원리까지 자세히 알려주지는 않습니다. 그리고 유감스럽게도 필자의 나이도 아직 중학생이기 때문에 이에 관련한 원리를 설명해 주지는 못합니다. 원리가 궁금한 학생들은 따로 인터넷에 검색해 보거나, 고등학생이 되어서 이와 관련된 내용을 배우면 알아보세요.

따라서 이 마지막 구 공식은 중학교 수준에서는 그냥 외워야 합니다. 우선 구의 부피를 구하는 공식은 r^3 * π * 4 / 3입니다.
그리고 구의 겉넓이를 구하는 공식은 4 * π * r^2입니다. 구의 부피와 겉넓이를 구하는 공식의 원리를 우리는 배우지 않았기 때문에, 공식을 까먹었을 때, 뭔가 다른 것을 할 수 없습니다. 그래서 이 구의 공식들은 익숙해질 때까지 계속해서 보며 문제를 풀어봐야 합니다.
자, 이제 새로운 액티비티를 하나 만들어 줍시다.

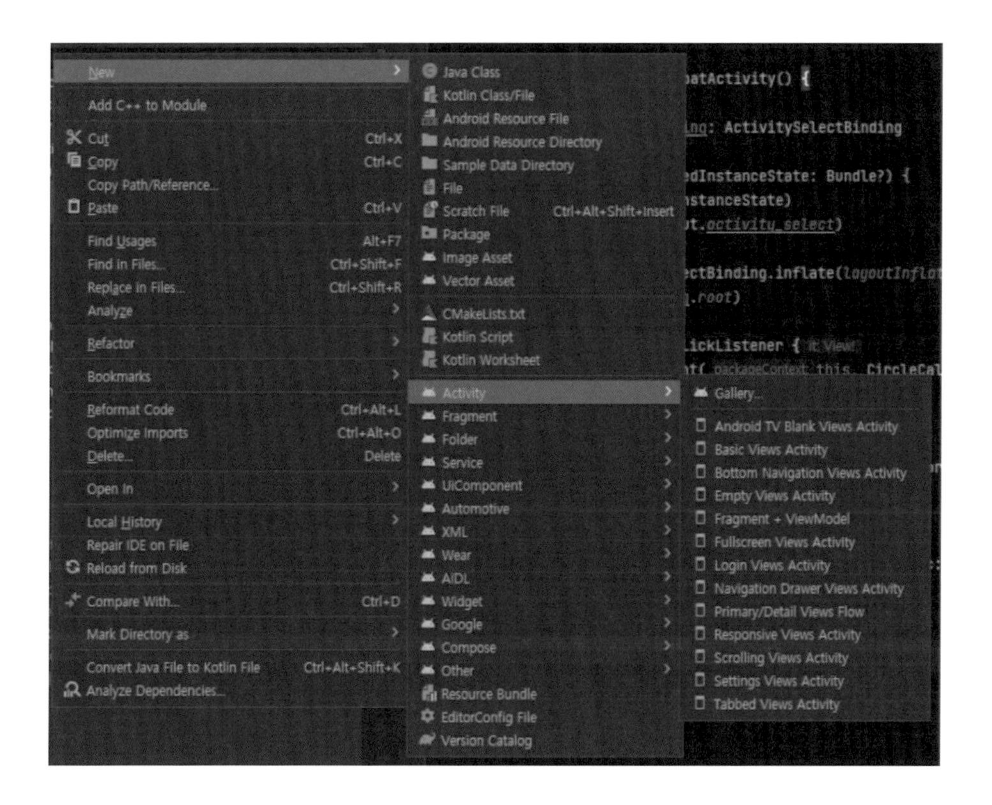

이번에 사용할 액티비티도 Empty Views Activity입니다.

Empty Views Activity
Creates a new empty activity
Activity Name
SphereCalc
Generate a Layout File
Layout Name
activity_sphere_calc
Launcher Activity
Package name
com.example.calculator
Source Language
Kotlin

액티비티 이름을 SphereCalc로 정해주고, 생성하겠습니다.

우리가 항상 이렇게 새로운 액티비티를 생성하고 나면 하는 것이 있었죠. 뭘까요? 네. SelectActivity에 새로 생성한 액티비티의 이름을 적어 그 계산기로 이동할 수 있게 만들었었습니다. 이번에도 똑같이 SelectActivity에 SphereCalc를 추가해 줍시다.

예제 (SelectActivity.kt)

```
package com.example.calculator

import android.content.Intent
import androidx.appcompat.app.AppCompatActivity
import android.os.Bundle
import com.example.calculator.databinding.ActivitySelectBinding

class SelectActivity : AppCompatActivity() {

    private lateinit var binding: ActivitySelectBinding

    override fun onCreate(savedInstanceState: Bundle?) {
        super.onCreate(savedInstanceState)
        setContentView(R.layout.activity_select)

        binding = ActivitySelectBinding.inflate(layoutInflater)
        setContentView(binding.root)

        binding.circle.setOnClickListener {
            val intent = Intent(this, CircleCalc::class.java)
            startActivity(intent)
        }
        binding.sectorForm.setOnClickListener {
            val intent = Intent(this, SectorFormCalc::class.java)
            startActivity(intent)
```

```
        }
        binding.cone.setOnClickListener {
            val intent = Intent(this, ConeCalc::class.java)
            startActivity(intent)
        }
        binding.sphere.setOnClickListener {
            val intent = Intent(this, SphereCalc::class.java)
            startActivity(intent)
        }
    }
}
```

자, 이렇게 추가를 완료했습니다. 그리고 이제 UI를 만들어야겠죠?

예제 (activity_sphere_calc.xml)

```
<?xml version="1.0" encoding="utf-8"?>
<LinearLayout
    xmlns:android="http://schemas.android.com/apk/res/android"
    xmlns:app="http://schemas.android.com/apk/res-auto"
    xmlns:tools="http://schemas.android.com/tools"
    android:layout_width="match_parent"
    android:layout_height="match_parent"
    android:orientation="vertical"
    tools:context=".SphereCalc">

    <LinearLayout
        android:layout_width="match_parent"
        android:layout_height="wrap_content"
        android:layout_weight="1"
        android:orientation="vertical">
        <TextView
            android:id="@+id/sphereSurface"
            android:gravity="center"
```

```
            android:textSize="30sp"
            android:layout_marginTop="30dp"
            android:layout_width="match_parent"
            android:layout_height="wrap_content"
            android:text="구의 겉넓이 : "/>
        <TextView
            android:id="@+id/sphereVolume"
            android:gravity="center"
            android:textSize="30sp"
            android:layout_width="match_parent"
            android:layout_height="wrap_content"
            android:text="구의 부피 : "/>

        <EditText
            android:id="@+id/radius"
            android:layout_width="match_parent"
            android:layout_height="wrap_content"
            android:textSize="20sp"
            android:gravity="center"
            android:layout_marginTop="50dp"
            android:hint="반지름"/>
    </LinearLayout>

    <Button
        android:id="@+id/calculate"
        android:layout_width="match_parent"
        android:layout_height="wrap_content"
        android:layout_gravity="bottom"
        android:text="계산하기"/>

</LinearLayout>
```

혹시 지금까지 계산기를 만들면서 뭔가 이상한 느낌이 들지 않았나요? 지금까지 만들어 온 계산기들의 UI가 전부 다 비슷비슷한 느낌이 들지 않았나요? 네. 정상입니다. 이렇게 간단한 코드들만으로도 충분히 활용의 가능성이 크다는 것을 알려드리고 싶었습니다.

예제 (SphereCalc.kt)

```
package com.example.calculator

import androidx.appcompat.app.AppCompatActivity
import android.os.Bundle
import android.widget.Toast
import com.example.calculator.databinding.ActivitySphereCalcBinding

class SphereCalc : AppCompatActivity() {

    private lateinit var binding: ActivitySphereCalcBinding

    override fun onCreate(savedInstanceState: Bundle?) {
        super.onCreate(savedInstanceState)
        setContentView(R.layout.activity_sphere_calc)

        binding = ActivitySphereCalcBinding.inflate(layoutInflater)
        setContentView(binding.root)

        binding.calculate.setOnClickListener {
            if (binding.radius.text.isEmpty()) {
                Toast.makeText(this, "반지름의 값을 입력해 주세요!",
Toast.LENGTH_SHORT).show()
            }
            else {
                var radius = binding.radius.text.toString().toFloat()

                var sphereSurface = radius * radius * 4
                var sphereVolume = radius * radius * radius * 4 / 3

                binding.sphereSurface.text = "구의 겉넓이 :
```

```
$sphereSurface π"
                binding.sphereVolume.text = "구의 부피 :
$sphereVolume π"
            }
        }
    }
}
```

이번 코드는 원 계산기와 거의 비슷하게 생겼다는 것을 눈치챘나요? 이렇게 간단한 기본만 알아도 우리의 일상생활에 충분히 도움이 되는 앱을 만들 수 있습니다. 이제 여러분을 위한 기본들은 전부 다 알려드렸습니다. 앞으로는 여러분들의 상상력으로 다른 앱을 한번 만들어 보세요!

자, 이제 끝마치기 전에 한 가지만 재밌는 것을 해봅시다. 바로 이 앱을 여러분의 스마트폰에서 작동시켜 보는 것입니다. 하지만 아쉽게도 이 앱은 아이폰에서는 작동되지 않습니다. 이 책의 맨 앞 장에서 설명했던 것이 기억나나요? 왜냐하면 아이폰과 안드로이드폰(갤럭시, LG 등등…)에서 사용하는 운영 체제가 다르기 때문입니다. 아이폰은 독자적인 IOS를 사용하지만, 갤럭시나 LG의 경우는 android를 사용합니다.

여러분들이 그동안 만든 이 앱은 android 운영 체제를 사용하는 핸드폰에서만 실행됩니다. 본격적으로 스마트폰에서 어떻게 작동시킬 수 있을지 알아봅시다.

이렇게 다른 기기에서 작동이 가능하게 만들도록 하는 작업도 '빌드'라고 부릅니다. 왜냐하면 이것이 곧 컴파일하는 일이기 때문이죠.

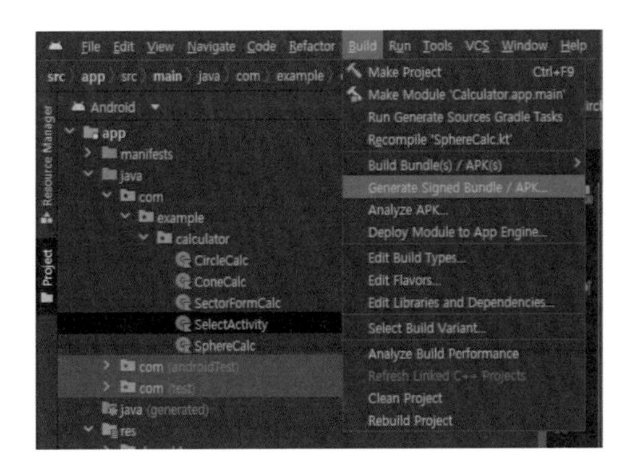

안드로이드 스튜디오의 위에 있는 Build에서 Generate Signed Bundle / APK... 를 클릭합니다.

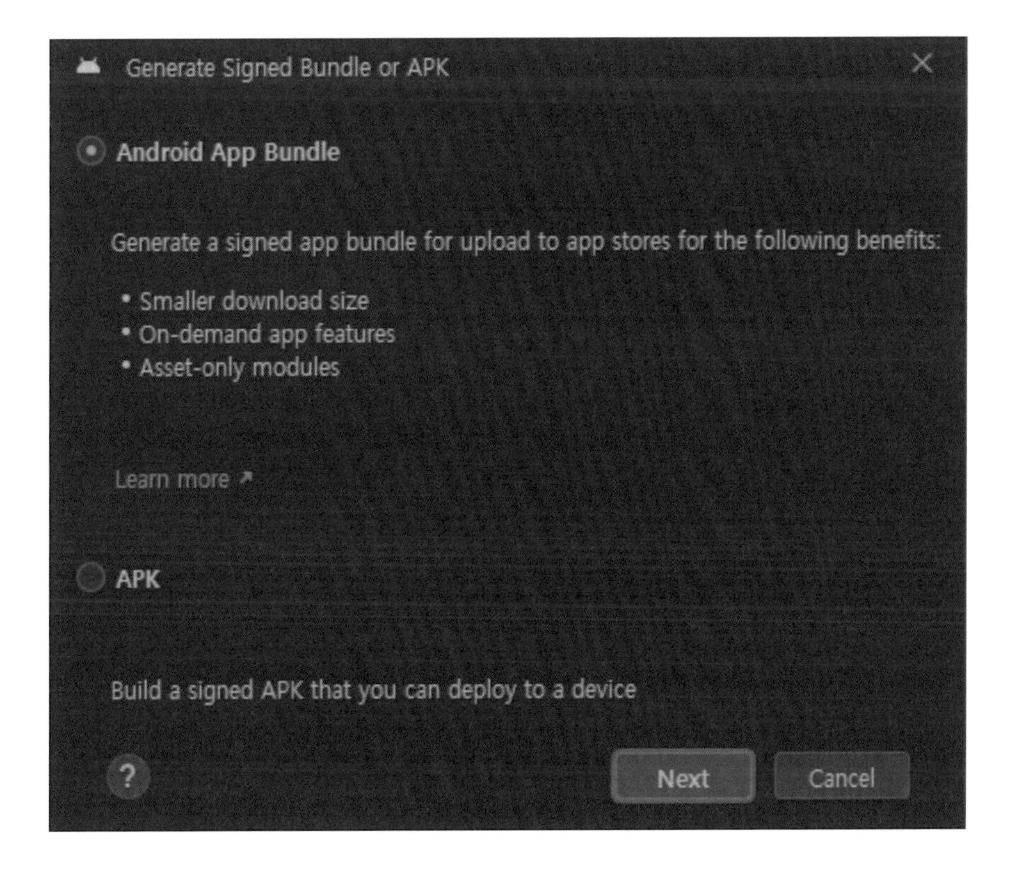

이 화면은 구글 플레이 스토어에 올릴 수 있는 .AAB 파일로 만들거나,

혹은 따로 다운하지 않고 사용할 수 있는 APK 파일 중 어떤 것을 사용할지 고르는 부분입니다. '어? 다운이 필요가 없으면 APK 파일이 무조건 좋은 거 아닌가?' 아쉽게도 아닙니다.

왜냐하면 APK 파일은 용량이 .AAB 파일보다 더 크기 때문이죠.
그래서 구글에서는 APK 파일을 사용하지 않고 .AAB 파일만 구글 플레이 스토어에 올릴 수 있게끔 만들어 놓았습니다. 일단 우리는 기기에서 실행만 시켜보는 것이 목적이므로 APK 파일로 만들도록 하겠습니다. (APK 파일을 선택하고 NEXT 클릭)

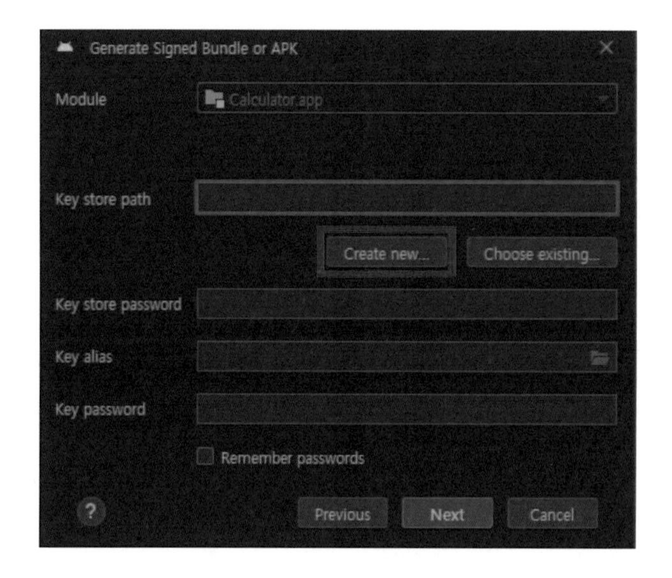

이제 이 부분이 가장 중요합니다. 여러분들의 .AAB 파일이나 .APK 파일의 암호를 정하는 화면인데요. 우선은 키 스토어를 지정해 줘야 합니다.

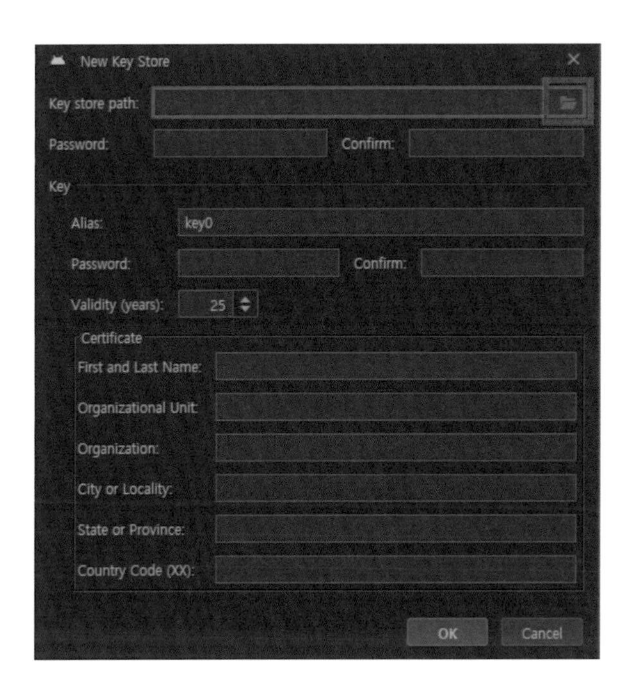

Create new...를 누르고 키 스토어를 만들 폴더를 설정해 줍니다.

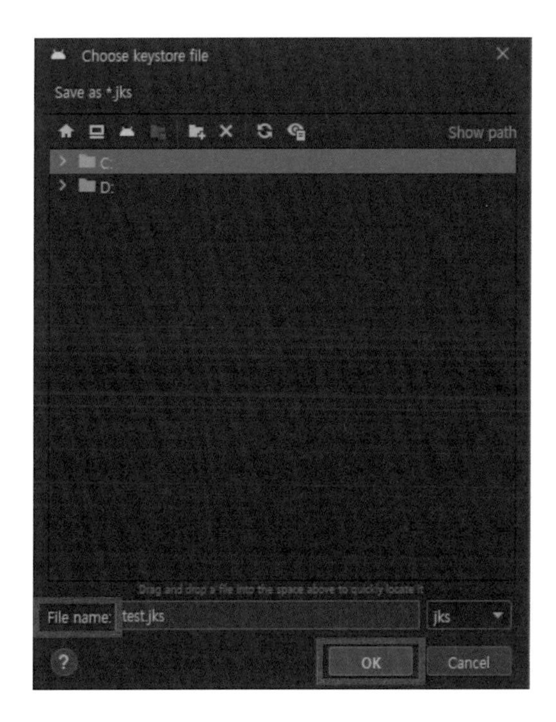

원하는 폴더의 위치를 정한 후에, File name에서 .jks 파일을 저장할 폴더를 정한 뒤에 OK를 눌러줍니다.

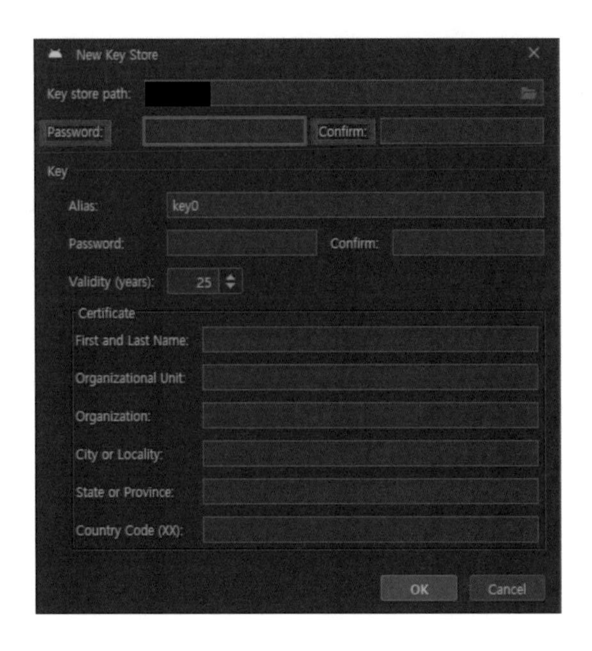

그리고 키 스토어의 비밀번호를 정해 주어야 합니다. Password에 원하는 비밀번호로 설정하고, Confirm에는 Password를 한 번 더 적어주면 됩니다.

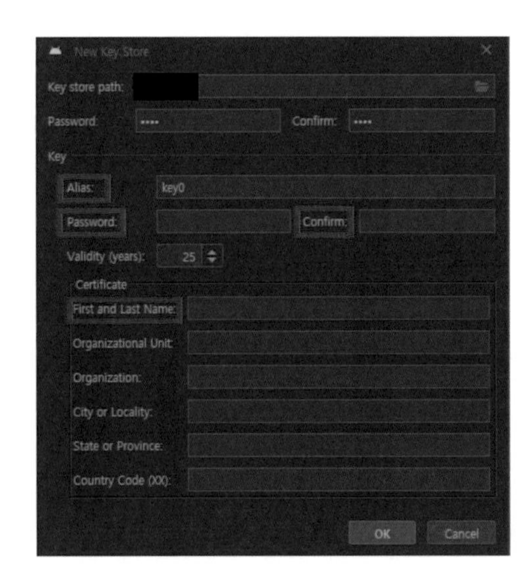

Alias는 키의 별명을 정해주는 칸입니다. Password는 키의 비밀번호를 정해주는 칸이고, Confirm은 비밀번호를 다시 한번 더 적어주는 칸입니다. 그리고 마지막으로 Certificate는 개발자의 정보를 적는 곳인데, 이는 이름만 적어주어도 됩니다.

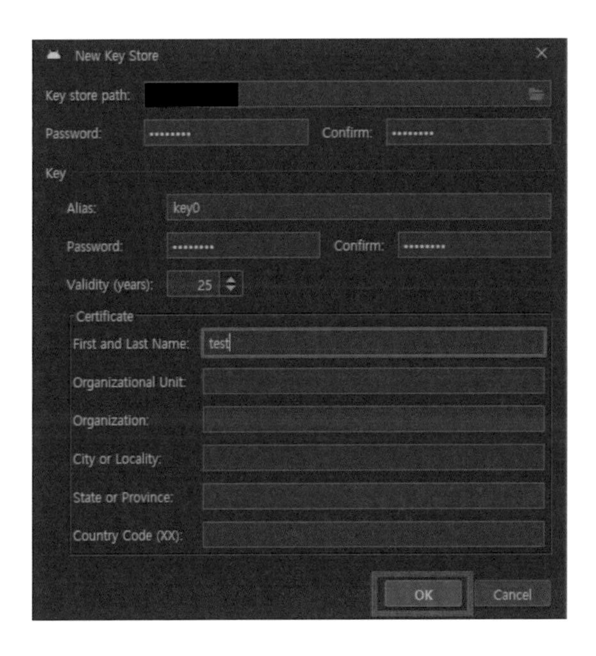

이렇게 다 완료하였다면 OK를 눌러 키 스토어 설정을 완료해 줍니다.

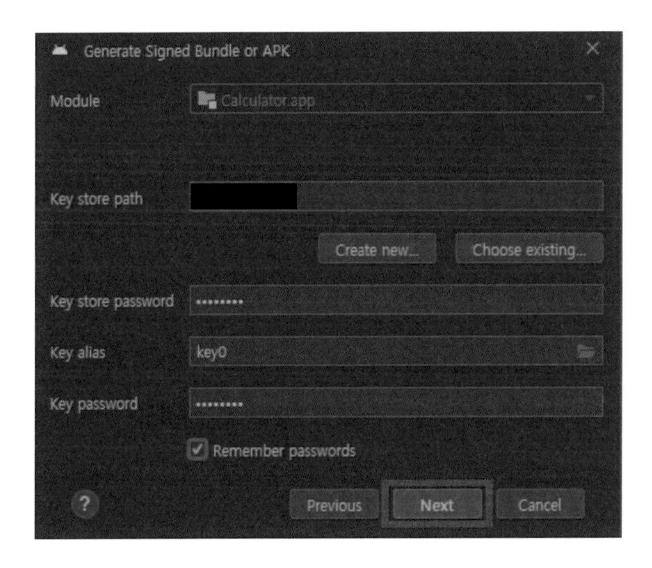

설정이 제대로 되었는지 확인하고 Next를 클릭해 줍니다. (Remember passwords를 활성화할 경우, 다음 빌드를 진행할 때 비밀번호를 입력해 주지 않아도 됩니다.)

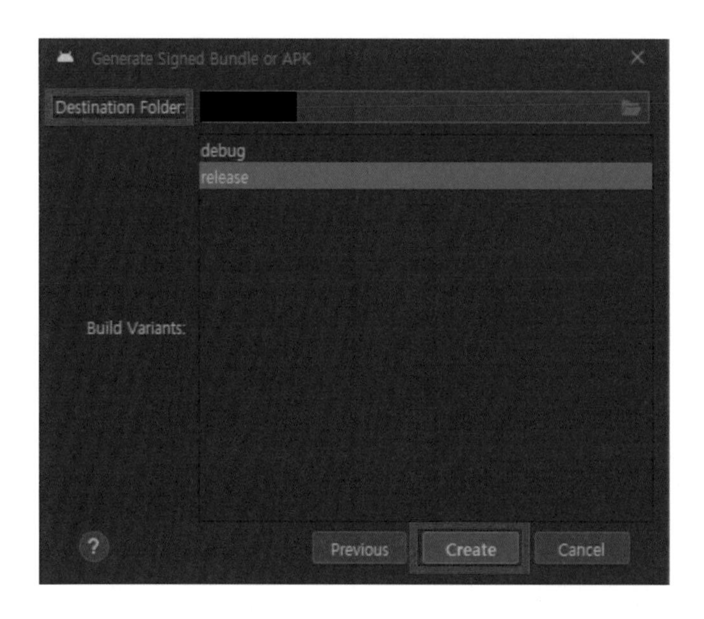

위에서 apk 파일을 생성할 폴더 위치를 정해줍니다. 이제 마지막으로 빌드 유형을 정해줍니다. 오류를 수정하기 위한 버전은 debug, 정식 출시를 할 때는 release를 선택해 주면 됩니다. 저는 release로 빌드 해주겠습니다. 빌드하려면 Create를 누르세요!

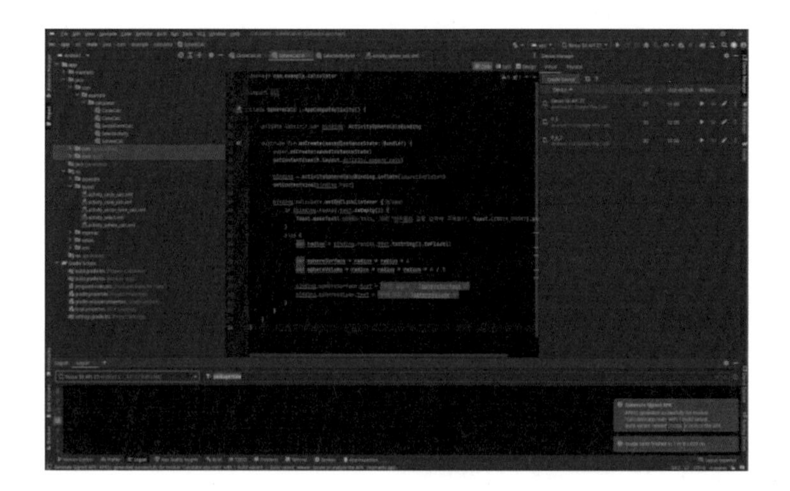

빌드 직후에 안드로이드 스튜디오의 우측 하단을 보면 빌드가 완료되었다는 메시지가 나옵니다. 거기에서 locate를 눌러주면 폴더의 위치가 바로 나옵니다. 이렇게 빌드하는 것까지 모두 다 끝냈습니다. 생성한 apk 파일을 사용하기 위해서는 메일을 이용하거나, 클라우드를 이용하여 다운받으면 됩니다.